Siete días de la señora K.
❖

ANA MARIA DEL RIO

Siete días de la señora K.

❖

PLANETA
Biblioteca del Sur

© Ana María del Río
Inscripción Nº 86.230 (1993)
Derechos exclusivos de edición en castellano
reservados para todo el mundo
© Editorial Planeta Chilena, S.A.
Olivares 1229, 4º piso, Santiago (Chile)
© Grupo Editorial Planeta

ISBN 956-247-093-8

Diseño de cubierta: José Bórquez
Diseño de interiores: Patricio Andrade
Composición: Andros Ltda.

Primera edición: abril 1993
Segunda edición: julio 1993
Tercera edición: septiembre 1993
Cuarta edición: noviembre 1993
Quinta edición: marzo 1994
Sexta edición: enero 1995

Impreso en Chile por
Alfabeta Impresores

CAPITULO UNO

CON LAS CANTIMPLORAS repletas de cocacola, gritándole desmigajado "adiós, mamá", en medio de galletas destrozadas y mochilas a punto de reventar, los tres niños despeinados de la señora K. habían partido hacía dos días al campamento de las vacaciones de invierno, después de haber presentado una libreta limpia de visos rojos y sin nada escrito en el sector de "Observaciones de la Profesora Jefe". El día que se fueron, la señora K. había vuelto despacio a su casa y entró al jardín pisando por los pastelones, como se debía. Recogió un calcetín olvidado junto a la manguera. Una vez en el segundo piso, había contado los dormitorios: le parecían muchos; puertas y espacios llenos de aire y de ventanas. Se dio cuenta de que las tablas del piso no estaban cubiertas de esa masa permanente de pantalones grises apelmazados y ruedas de juguetes. Todo resonaba en el silencio. Nunca le pareció tan grande la casa.

La señora K. y su marido irían a una fiesta esa noche; había que aprovechar: durante dos semanas

7

y media serían una pareja sin niños. No tenían que ayudar a nadie en las tareas, ni comprar un solo pliego de cartulina, ni asistir a ninguna reunión de Padres y Apoderados. Aprovechar esos días, o nunca, habían gritado los amigos por el teléfono.

Pero a ella le daban vergüenza la música tropical y las fiestas de personas que entraban bailando desde el jardín, balanceando las bolsas de papas fritas, con los labios estirados para besar a todo el mundo, férreamente decididos a pasar un buen rato. Su marido era de los que entraban así, con los ojos cerrados, sintiendo el ritmo en la sangre, según él.

Su marido la había hecho ponerse ese traje alegre, terriblemente amarillo, que había sido confeccionado para otra, pero la vendedora aseguró que le lloraba a la señora K., dentro de los que estaban en liquidación, por supuesto: lleno de pliegues, mangas volantes y botones de mariposas que costaba mucho abrochar y que se le enredaban en sus hombros terrestres, quietos.

Cuando entraron, se levantó una tempestad de silbiditos y abucheos, miren a los tórtolos, qué habrán estado haciendo los cochinitos en el nido, sin críos, yo sé, yo séeee, si no hay más que verlos, mírenlos, cómo vienen de la manito. No venían. La señora K. traía una bandeja de petibuchés cubierta con papel mantequilla, cuidadosa. La señora K. pensó en que había estado cambiando sábanas toda la tarde y barriendo por debajo de las camas y cómodas. En seguida miró a su marido, quien sonreía levantando los hombros como persona de mundo, qué quieren, hijo de tigre, y prendiéndole un cigarrillo a alguien de largo pelo rubio.

Empezó un merengue y hasta los sillones movieron sus gruesos muslos.

La señora K. no bailaba. No sabía. Y le parecía que ya no podía ni debía mover la cintura, menos aún las caderas, como pariendo algo, ni agitar los pechos como campanilla de mesa, ni tampoco pasarse la lengua por los labios o mirar a la boca del otro mientras bailaba: no eran los tiempos y el aire del salón estaba denso como una mano llena de intenciones sudorosas. La señora K. enrojecía cuando la empujaban de un lado a otro, en el ritmo tropical de la alegría, junto a la piscina, un gigantesco poroto cuidadosamente casual, tirado entre lomas verdes, en medio de un amoblado de nerviosísimo fierro blanco y copas que aparecían y aparecían por todas partes con cáscaras ensartadas en los bordes. En realidad, pensó, ella no era tropical en absoluto. Era una señora, de talla cuarenta y cuatro, de empeine alto y con cartera.

Al rato, se cansó de no bailar y de mirar desde su asiento de mimbre en la salita, los traseros zangoloteantes de los bailarines, que chasqueaban la lengua diciendo tss, tss, ahhhh mientras bailaban. Qué difíciles eran los brazos.

Ella nunca sabía dónde poner los brazos pura bailar. Le caían en ambos lados, acolchándose en una tiesura desconcertada, como una muñeca de trapo. En cambio, los dueños de los otros brazos los ponían bastante bien, en todas partes, sobre todo en las cinturas, y en los escotes de las espaldas de las mujeres. Algunos sostenían vasos con licor, lo que a la señora K. le pareció algo inteligente. Se fue al comedor a preparar los platos para su marido y para ella, en una bandeja, con esas servilletas gigantes de las fiestas exitosas y un pedacito de pan de hoja envuelto, junto con el gran plato y los dos vasos de refresco para él. Porque su marido sí bailaba. Era el que mejor bailaba de todos los concurrentes. La señora K. cambió de idea y dejó su propio plato en la mesa. Tomó un pequeño sandwich de ave que envolvió en una servilleta, sin comerlo.

Su marido había sido campeón de baile cuando estudiante. Y rey feo en la universidad. Y campeón de rocanrol en el Club de Yates de Quintero. Y bailado en La Rueda, en Valparaíso. Había competido con los marineros de espaldas rubias y rostros rojizos, Américanbarsúuuuu kasa, mascadores de chicle, había llegado hasta las últimas vueltas con los campeones que se paseaban por las calles de la Aduana, como si tuvieran un caballo invisible entre las piernas; a todos los había vencido.

Su mamá decía que había venido al mundo con el don del ritmo y que debería haber sido cirujano, o director de orquesta. Y aún ahora, en la edad de las jaquecas, la gente hacía ruedo cuando su marido se preparaba para participar en el baile. No con ella, por supuesto, Dios la librara. Cuando Mauro entraba en el círculo de los ases sonriendo, como si no quisiera y queriendo, desabotonándose el primer botón de la camisa, dejen pasar, ahí va, como a la descuidada, la gente se lo pedía, palmeando las manos, con gritos, levantando los vasos:

–Que-bai-le, que-bai-le.

Los hombres amenazaban:

–Nadie sale de aquí si Mauro no baila.

–Que les enseñe a moverse a los jóvenes. A ver,

cabros, vengan a ver, miren cómo se menea el papa del trópico, aaarrriiibaaa.

Los vasos se levantaban, se movían todas las caderas con furia de corcheas y se armaba el círculo más estrecho, de los que sabían mucho de estas cosas, allá en el centro de la sala, por donde ella evitaba pasar. Para que nadie la fuera a sacar a bailar en la euforia de labios brillantes y lenguas humedecidas que empezaba a tenderse sobre la fiesta como una serpentina.

Y allá, justo en el ojo del huracán, su marido bailaba con las caderas y los recuerdos abiertos en una semisonrisa, medio distraída, anidada en sus ex veintiún años porteños. Sus poros abiertos a los compases estrechos se entornaban, resbalándose en pasos dormidos, candentes, que hacían abrirse las ventanillas de la nariz de las mujeres.

Mauro bailaba entonces, meciéndose como si la vida se le diera en una palma, un trompo dormido en su centro.

"Qué raro", pensaba la señora K., mirándolo vibrar. Tan distinto que se portaba su marido en la casa. Llegaba al atardecer, arrastrando los pies avinagrados y decía: "Este jardín está cada vez más seco. Todas las plantas muertas". Y después cerraba la puerta de calle, refregando una manchita a la altura de la chapa, mirando a su alrededor con aire de disgusto, como si hubiera llegado a un país fuera de itinerario. Se apresuraba en poner a salvo su maletín de negocios lustrándolo con la manga y escondiéndolo bajo la escalera. Con las mandíbulas gatilladas, iba sorteando lápices de colores, tijeras, papeles y se dejaba caer agónico en el recio sillón de la llegada, donde fumaba mucho rato, mirando al techo, haciendo anillos de humo casi perfectos, que se engarzaban unos con otros tejiendo cadenas de aire azul aventurero. Reconcentrado y solo, sin hablar una palabra, como su misma columna de aire sombrío.

Pero no siempre estaba en silencio. Los diarios de la mañana lo hacían hablar, rebotando sus frases endurecidas contra la pared. Cuando se acercaban las horas de comer, su marido hablaba por horas. "¿Por qué siempre tendrá tanto de qué opinar?", pensaba, silenciosa, la señora K, mientras lo miraba perorar a las esquinas de la habitación, dando indicaciones al mundo sobre cómo usar los cubiertos de pescado, o afirmado entre almohadones los sábados en la mañana, una sonrisa muy seria. "¿No te había dicho ya que este café me hace salir aftas?". Ella le miraba los hombros y un poco más abajo, donde nacían las tetillas grandes como dos soles apagados y los pelos de la nariz que se le movían mientras él agitaba la cabeza y mostraba con la palma los diarios sugiriendo con su voz suave de dictar testamento. "Creo que de nuevo los niños me arrugaron el suplemento; ¿no crees que sería mejor que jugaran afuera?".

Pero detrás de esas pálidas palabras, la señora K. sentía una ira encañonada y silenciosa fija sobre ella. Muchas veces había estado a punto de contestar: "No; que jueguen aquí". Pero siempre se había detenido antes de pronunciar una palabra, asustada, como bajo un aguacero a punto de desencadenarse. Salía con los niños de la mano y a su vuelta, Mauro le indicaba los editoriales, sacudiéndolos con la mano. "Con esto nos vamos al tacho, qué desastre".

–¿Por qué siempre se los leerá todos, si dice que

la política es una mierda y tiene clarísima la película desde que nació? –se preguntaba, mientras le servía otra taza, la señora K. Después ella circulaba en silencio por la pieza recogiendo camisas y mirándoles el cuello.

–Por lo menos, tendremos siempre en qué envolver la basura –decía bajito, mirando los diarios que poblaban los días, dispuesta a entresacar lo positivo, como los hilos de una difícil alcayota. Y alisaba los papeles desparramados por la casa.

A veces, él la miraba de una forma especial. La señora K. temía a esta mirada de Mauro más que a ninguna otra cosa y se abotonaba rápida los puños de su mañanita. Le parecía hallarse en otra parte: se iban los ruidos de la casa y se veía en una pieza fatídica, la misma que solía aparecer en sus pesadillas de fin de mes, cuando los pechos se le hinchaban un poco y sabía que iba a menstruar: la misma pieza con barrotes en las ventanas, de fierro, iguales a los de una cama que había en el centro de una pieza desnuda. A veces, tenía suerte, y al cabo de un momento, Mauro volvía a hablar de la situación mundial, golpeando los periódicos con el dorso de la mano y diciendo que los que manejaban la política no servían para nada. Pero la señora K. no podía volver tan fácilmente a hablar de cosas de todos los días después de esa mirada. Se quedaba contemplando la ventana, moviendo las hojitas de su jardinera de helechos y se sentía presa, no sabía por qué, aprisionada en una malla silenciosa, a pesar de que podía salir a la panadería o al correo, cuando ella quisiera.

CAPITULO DOS

HE SUBIDO SALTANDO, pasando la mano por la baranda brillosa de esa escalera oscura, ¿dónde vamos?, comiendo chicle, sin dejar de comer chicle, un globo rodando desde mi aliento frutilla me tapa la cara de ojos chinitos de risa, la falda de cuadrillé me vuela sobre las rodillas, si me pongo al sol con la falda y la parte de arriba del traje de baño, ¿me quemo a cuadritos? Y me acuerdo de la cinta de mi cola de caballo, una punta del pelo en los dientes, me río de nada, creo que soy bonita, muy bonita, ¿la más?, también uno por medio los escalones en un pie salto, yo puedo no pisar nunca las baldosas rojas, ¿y tú? El me mira en silencio, rumiando, como si comiera algo, enfundado en un cuero silencioso, me mira de arriba abajo, desde boca, cuello hasta abajo y la mirada se le vuela en el vuelo de la falda, me río, otro globo frutilla, me río de sus ojos con las cortinas abajo como una funeraria, de pestañas tiesas, este chicle es de menta, parece, trae aire y es helado, heladísimo, otro globo gigante, rosado, salto, masco salto, un solo pie

15

entre las baldosas de ese corredor ancho de edificio con olor a dentista antiguo, hemos venido, él me miró, un hilito de saliva en los portales de la Estación, algunas mujeres se ríen, mirándonos, mira al viejo, salta pal lao viejo machucao, se arreglan las medias en la calle. El me mira todo el tiempo. Entramos. Que suba por las escaleras. El cierra un ojo hacia el paragüero del fondo y le da un billete bajo los dedos al del mesón que no se le ve la cara, no da vuelta la página del diario, ¿qué pagaste? No contesta, me mira todo el tiempo, me pasa la mano por el pelo, como un tío, pero no es, apúrate, sube, me dice, ¿y si no quiero? El me mira, mira hacia el ascensor rayado con Lucho y Miriam seaman, sube, dice, él es una de esas cabezas que se quedan mirándome desde los buses los trenes, yo me río, juntar cabezas hasta que tenga una fila de ojos mirándome, ¿dónde vamos? Un empujón y una pieza de techos altísimos, manchas de humedad, rayas yéndose en medio de hongos verdes, manchas largas, como monjas llorando, no hay muebles. Sí hay: al fondo, en la oscuridad sobresale una cama con barrotes negros, un inmenso cajón de embalaje. Una colcha de toalla. Retrocedo, tragándome chicle y toda la sonrisa. De pronto él se vuelve desconocido, no lo he visto nunca. El está con la mano en la cerradura. No deja de mirarme pero de otra manera. Lentamente, echa pestillo, echa pestillo, echa pestillo. Se vuelve altísimo, de manos inmensas, llenas de nudillos más pálidos. No dice nada. Tiene la boca negra. Se echa sobre la cama. "Ahora, vamos a jugar un poco", dice. Y nunca más oiré esa palabra limpia. "Baila", dice. "No sé", me oigo contestar desde muy lejos, con la saliva almidonada. "Aunque no sepas. Bailarás", advierte. Y me parece, se me viene gigantesco, empieza lentamente a desabrocharse el pantalón demorándose, creo que sonríe, me mira todo el tiempo. Corro encarnizada hacia la cerradura. "Aunque grites. No hay nadie en los pasillos". Y el habla es pausada. Se relame. Pateo y muerdo la madera de la puerta. Llena de lágrimas, arañazos, cortes por el metal sujeto. ¡Socorro! No hay nadie en el pasillo. Las ventanas se han oscurecido llenas de barrotes y flores de hierro que no vi al entrar. "No grites. No me gusta" oigo. Más cerca. Habla muy suave, arrastrando las palabras. La puerta es cada vez más gruesa. Se acerca, cada vez más lleno de huesos y desconocido. Tiene una varilla invisible entre los labios. "Súbete a la mesa", dice. "Y empieza a desvestirte. Bailando". Oigo desesperada los ruidos de este mundo que se me va. Afuera pasan micros y alguien vocea empanadas. Remezco la tierra donde vivo, pero no contestan. No hay nadie en el corredor, los gritos de la calle son de mentira. Abajo habla gente por las calles. Lanzan bocinas, risas, que me llegan envueltas en franela. "No te dije que te bajaras. Quédate arriba y muévete. Mueve las piernas". Su ancha mano, llena de nervios y pelos, de nudillos malvados, se acerca y roza mi cuello y lo presiona imperceptiblemente entre su pulgar y su índice gigante. Suavemente aprieta el hueso de mi grito y lo deshace. Mira hacia lo lejos, donde fallecen los hierros de las ventanas en cruz. Quedo aterrorizada mirándolo en una bocanada de miedo. Las paredes se tiñen de negro. Siento unas rodillas entrando en mi terror. El amargo grito ciego se silencia entre sus dos dedos. Se silencia. Una perpetua piedra he-

lada. El jadea con los dientes mojados por la cruel-
dad. "Muévete, te dicen, ¿no oíste? Chúpamelo". Me
muevo lentamente con los músculos dormidos.
Contornéandome en la memoria de la desesperación.

Nunca más miraré desde la sonrisa de pregunta,
con chicle y chasquilla agitándose en la brisa de
afuera. De un golpe, me vuelvo mayor y todo lo que
era mío cruje. Se me van las mitades de un engranaje
que se destroza.

De un golpe me vuelvo mayor, tragándome de
un grito la niñez.

CAPITULO TRES

EN LAS MAÑANAS, cuando la señora K. entraba con la tercera taza de café y su mañanita intensamente abrochada, casi siempre se le derramaba un poco. Mauro ya no tenía esa mirada y rezongaba sacando las manchitas de la bandeja con la uña. Entonces, ella sentía que era de vidrio: él parecía mirar a través suyo, como si la cara de la señora K. fuera una ventana o un recuerdo molesto. Mauro movía la cabeza por todo y siempre trataba de cazar una mosca imposible, en un manotazo que hacía tiritar los resortes del somier. La señora K. sentía el sonido de no contar para nada, como una escoba que está a punto de jubilar detrás de un mueble. Y es que ella nunca podría moverse ni rugir un poco como leona sin peinar o quejarse como tigresa brasileña, como decía Mauro que hacían las mujeres de verdad. La casa se transformaba en una mesa de patas muy largas y ella arriba, atada, siempre le venía ese gusto del recuerdo, a los barrotes de esas ventanas de otro tiempo. Los primeros autos del vecindario que se ponían en marcha en la mañana la sorprendían esperando que pasara la noche, sin dejar de transpirar, como si a sus piernas y brazos se les hubiera acabado la marcha para siempre.

Y aunque sonaran los ruidos del día, del kiosco vecino y del panadero abriendo su local que chirriaba tanto, a ella le parecía que el tiempo se iba ensordeciendo a sus gritos, como aquella vez, encortinada en una memoria que temblaba. Sin poder moverse, tiesa como una tabla de planchar. Una vez le miró las manos a Mauro bajándose el cierre, brotando como un adversario al otro lado de la cama matrimonial y le vio los mismos terribles nudillos que el otro, ahí, con una maldad en cada coyuntura. Esa vez gritó y le pidió a su marido que se desvistiera en el baño.

El se quedó muy callado, mortalmente silencioso, tanto, que no se oía ningún ruido alrededor. Ni siquiera movió la cabeza, como acostumbraba. El tiempo de esos días –duraron mucho los de ese enojo– parecía destilarle apenas como desde una llave descompuesta. Ella aprovechó para acordarse de los primeros tiempos, en medio de un noviazgo de claveles y chocolates escuetos, cuando él le pedía que se moviera en el amor y ella daba vuelta la cara, avergonzada, con un terrible dedo pulgar amenazante metido como un taladro en su memoria. Pero no importaba, en esos tiempos. El la llenaba de besos pequeños en las orejas y le decía que la quería igual.

A tientas, la señora K. trataba ahora último de encontrar a su esposo, helado, vestido completamente, rezumando agua de colonia para ejecutivos, que pasaba a su lado sin verla. Después de una semana, él condescendió a hablar para decirle que lo que le pasaba a ella era muy sencillo: era frígida. "Y me hubiera gustado saberlo antes", agregó, tirando fuertemente el cordón del zapato.

Frígida sonaba como meterla en una caja sellada para siempre. La señora K., sujetándose la respiración, trató de explicarle a Mauro lo de esa vez, con el chicle y las escaleras y lo de sus pesadillas, donde ella aparecía peinada con cola de caballo y llena de nudillos de hombre por todas partes, pero Mauro movió el diario haciendo aire, en la misma forma como espantaba a los chicos del estacionamiento que trataban de lavarle el auto o de pasarle una franela.

–Sin detalles, por favor –dijo.– No vienen al caso.

–Pero este no es un caso –dijo la señora K., con la angustia subiéndole como un collar por la garganta. –Somos tú y yo.

–No –sonó lento, Mauro, mirando sus propios dedos abiertos sobre la mesa–. Eres tú. –Era la misma voz que ponía cuando intervenía en una de sus Reuniones de Consejo de Ventas–. No mezclemos las cosas, por favor.

Tú. La palabra le quedó oscilando a la señora K., clavada como jabalina en alguna parte de su carne, y muy triste, siguió buscando las servilletas del desayuno. Todavía recordaba la desesperación de mil raíces que la había atenazado. La sentía todas las mañanas, cuando iba a despertar a sus hijos para el colegio. Los miraba dormir. Y pensaba que dentro de sus ojos estaba creciendo una señora K. que no era ella, triste, con el pelo opaco y sin la risa a carcajadas de su niñez. Recordó los primeros tiempos, cuando vivían con Mauro en esa minúscula pieza sobre el almacén, al lado de la mujer que le enseñaba a hablar a un gato con infinita paciencia y dándole un poco de cerveza todos los días. Y pensó que entonces ella no era un caso. Ni antes tampoco. ¿Por qué le había empezado a ver a Mauro los mismos huesos y clavículas malvadas dentro de ese aire de panteón que corría por la casa cuando él sugería cosas extendiendo apenas la barbilla? No estaba segura de nada. A lo mejor era por eso, porque era un caso. Suspiro. Eso de tanto tiempo volvía a atormentarla como un viejo pliegue olvidado.

Entonces, respiró hondo y dijo:

—Dale tiempo al tiempo.

Era la misma frase que su tía Pelaya había copiado en su diario de vida, sacada de *Lo que el viento se llevó*. La dijo tres veces, aguantando las ganas de no dar ni una pizca de tiempo a nada y de salir arrancando por la puerta de atrás a tomar el primer tren que sonara en la Estación, pero se detuvo. Miró en torno suyo y empezó a secar los cubiertos de ese día. Que eran miles.

CAPITULO CUATRO

LA SEÑORA K. ahora pensaba en los niños. Se hallarían tan felices chorreándose de frutas y tallarines, en ese campamento adonde casi no llegaban las voces de los papás preguntando por ellos. Estaban muy al sur. Por el teléfono sólo llegaba el ruido de ramas quemándose ferozmente y vagos alaridos que aseguraban que estaban muy bien, mamá, ¿nos podemos quedar tres días más en el fundo de Fontecillaaaa?; al otro lado de la línea que chisporroteaba, llegaba apenas la voz del profesor de gimnasia, que aseguraba que no había nada... de... qué preocuparse... ñora.

Volvió a la fiesta con un estremecimiento, poniéndose roja como siempre le pasaba cuando se daba cuenta de que se había "ido" un poco. Qué distraída se estaba poniendo en el último tiempo. Miró a su marido bailar y repartirse sin descanso por la pista, coqueteando simultáneamente entre veloces juegos de miradas con carga de rimmel sombrío e intenciones segundas. Pesadas respiraciones dichas al oído casual, cabellos que se agitaban tan bien, ondas de luz en todos los ojos. Ella no sabía agitar los cabellos imprimiéndoles esa dirección, ese oloroso tono...

Mauro, erguido, reía con los ojos iluminados y los labios que destellaban su sudor triunfante. No se veía cansado como cuando llegaban a la casa en las noches sin piscina, pensó la señora K., ni decía, agrio, que el jardín se secaría en poco tiempo más, que ni siquiera valía la pena regarlo. Ni tapiaba con una mirada salpicadora los muros de la pieza de los niños, de donde aún de noche salían cuchicheos llenos de risa y toallas húmedas.

–Un poco de consideración –musitaba después, como para sí mismo, sin mover los labios. Y todo quedaba en silencio. Había que tenerle siempre mucha consideración en puntillas a Mauro. Porque había trabajado como descosido toda su vida, porque le debían no sé cuántos años de vacaciones, porque se mataba por el futuro de todos ustedes, cuidado, niños, con los portazos.

"No sé", pensó la señora K. Lo veía en la penumbra de la casa propia, con los ojos cerrados y un vaso de hielo en la mano, pidiendo silencio aunque nada sonara.

Y ahora, tan distinto. Como si fuera otro vestido de él. No se echaba al diván a que le trajeran la comida y quedarse dormido después, sin hablar con nadie, con la mano puesta en el cierreclair del pantalón. Nada de eso.

La señora K. se acercó caminando cautelosa por el parquet brilloso y lleno de pequeños martillazos redondos de los tacos bailarines hacia el centro de la pista, con su vestido amarillo y el plato de pescado con penachos de alcachofa, pero él, desde los compases elásticos, le hizo una seña negativa con la nariz. Ni el pescado ni ella: ¿Que no veía que estaba conversando con la gente, pasándolo bien siquiera una vez? Una mujer muy alta bailaba con él. Sus cabellos largos de un choclo pálido se tendían olvidados, lacios, en los hombros azulmarino de Mauro y lo ocultaban a su vista.

Las cuatro piernas enlazadas se hundían en todas las notas de la música como en pequeños charcos explosivos. Brotaba entre ellos una risa que no era de algo divertido sino un saltar por encima de las palabras hundiéndose en charcos ocultos.

Y la señora K. se quedaba mirándole las muchas maneras que tenía su marido para no estar con ella. Eran unas armazones complicadas, algunas ingeniosas. Sobre todo, la de enojarse a último minuto, o la de decir que esta situación ya no se soportaba más. Entonces parecía que ella había venido al mundo a arruinar un dulce momento irrepetible o un instante detenido en que él estaba a punto de lograr la felicidad o de descubrir las causas de por qué todo andaba mal en el mundo. O cualquier cosa. La señora K. lo miraba aclarar cosas con el filo de su voz entre los labios de una sola línea, arista de un hielo que se cernía sobre el jardín y sobre ella con el silencio de las muelas ocultas. Y se callaba, aunque se sentía en el tercero o cuarto acto de una obra de la que ella sabía el final, a pesar de que no le gustaba. Y en un asiento cerca de la puerta. Pero igual pasaban estas cosas, como el pago de las contribuciones o de las cuentas atrasadas de gas.

Miró a su alrededor sintiendo la avalancha de la fiesta que le corría como agua por un impermeable.

Ella nunca había podido bailar. Ni siquiera embo-
rrachándose. Era peor. Se dormía en lugares absur-
dos, como la tina de baño, esa vez en que Mauro
estuvo sin hablarle cerca de un mes. Ni siquiera podía bailar cuando su marido bajaba de su danzante
pedestal de gloria electrizada y la tironeaba sin mirarla, a bailar un lento, achispado, con los labios
húmedos, sonriendo a los que estaban sentados en los
sillones de cerca. Ni siquiera ahí. Entonces su marido
se enojaba y decía que la señora K. era de corcho. Y la
sensación se hacía total. Ella tenía de corcho el corazón, las intenciones, las piernas, de un corcho reseco,
chasqueando en el aire pegajoso y lascivo de la fiesta.

Lo miró. Las manos de él bailaban con alguien.
Recorrían una espalda bien lubricada, arqueándose
bajo las palmas que la sopesaban; su marido tenía un
ojo clínico para esas cosas de la calidad, reían los
demás, golpeando las manos, engarzados, al trencito,
el chá chá chá del tren produce más calor, me sacaría
todo ¿y tú? Mauro, no seas egoísta, no cuentes plata
delante de los pobres, vagos susurros dichos al pasar,
candentes, se va el caimán, santa marta santa marta
tiene tren, pero no tiene tranvía, en una fila, si no
fuera por las olas ay caramba, saliendo al jardín, ca-
racoleando por entre los arbustos recortados en
abanico, algunas parejas se quedaban fuera del alcance de los focos, era una fiesta magnífica, whisky
del mejor, chivas, ni una sola gota de resaca y la
piscina temperada, todo perfecto, ¿probaste el pastel
de jaivas?, como para orgasmarse aquí mismo.

La señora K. de corcho quedó sola. La sensación
bajó sobre ella como un paraguas. De veras, ella
partía desde unos tobillos compactos, porosos y su-

bía por un cilindro de corcho denso, donde se ocultaban su vientre y su alma, resecos y sordos.

Ni siquiera a la vuelta de las fiestas en las noches, con el olor almendrado del licor amasándole los labios, cuando su marido se desnudaba entero bailando, tarareando pasos y la empujaba a ella a la cama sin mirarla, poniendo el despertador para la mañana siguiente, ni siquiera entonces se diluía el fuerte sentir inerte de su ser. Ahí, la señora K. apagaba la luz y sentía como el cerrarse de una antigua puerta con pestillo. Y venía la noche, de un paño negro interminable, a cubrir cualquier asomo.

Ni siquiera cuando él resoplaba en la oscuridad y encima de ella comenzaba un galope pesadísimo con todas las rodillas previstas. La señora K. veía todo oscuro dentro de la costilla de su marido que casi siempre terminaba sus coletazos de pez varado en un ronquido de trompetas gigantes. Entonces, la señora K. se salía como un charco de bajo el cuerpo de su marido y quitaba las medias enrolladas a sus tobillos.

Le ponía a él el pijama corto, levantándole la cintura de hierro a duras penas y lo dejaba cubierto con la manta de los viajes de comercio, durmiendo hasta la médula.

Y ella se ponía a pensar, cubierta por una extraña libertad oscura: miraba siempre la ventana, donde habían empezado a crecer barrotes inamovibles, en medio de las flores de metal.

CAPITULO CINCO

LLEGAS Y APAGAS la luz. Entonces, aunque tenga mucho sueño, algo delgado como el terror se sienta en mi esófago buceando hasta la pepa del alma. Brusco, como el explotar de una ola. Como una herida de bordes crecientes, medio azules. Y yo, vigilando el crecimiento de esa pústula, atenta a su desaparecimiento. Pero no desaparece nunca. La ventana está llena de clavos y la cerradura de la pieza cierra su boca para siempre. Como las cosas viejas que no funcionan. Me como las uñas furiosamente. De pronto soy niña. Mastico y mastico y mastico algo. No sé qué es. Te desabrochas lentamente tu cinturón. A contraluz. Tus hombros parecen oscurísimos. Me voy deslizando hacia la puerta, tanteando tu rabillo del ojo, por donde se baja al mundo donde vive la gente. Y cuando voy llegando, abres todo el ojo y me miras sin cejas. No hago sino verificar la cerradura, no vayamos a tener problemas con que la puerta se abra de repente y, digo. Tú caminas por el cuarto cerrando cortinas, tropiezas,

quién mierdas puso estas toallas aquí, nunca hay
nada en su sitio en esta casa. Tampoco yo estoy en
mi sitio. Te miro lleno de visajes tristes, protegida con
mi almohadón, el miedo no se va. Tu cuerpo se yer-
gue más inmenso que nunca, sobre todo el cuello,
erección, tu cabeza llena de ojos me amenaza, una
lanza, los cuatro rincones del mundo se repletan con
tu boca cerrada. Me ovillo, ni que te toquen dejas
ahora, tu voz ronca de las peleas se ovilla en el suelo. Invades las sábanas forzando las frazadas con
brazos exasperados, doblegándolas. Me corro hacia
un borde inverosímil del universo donde no podría
sostenerse nadie, en el filo del larguero matrimonial,
donde ninguna planta podría crecer. Con manchas
pardas de noche, tus manos taladran todos mis es-
condrijos. Mis silencios van quedando ahí, dados
vuelta, abiertos como brevas. Todos los huecos in-
vadidos suplican, no, no por favor, no. "No hables",
oigo en la oscuridad que es la misma de esa vez. En
la ventana están los hollines. No: son barrotes negros
fierro forjado dos flores apresadas en el metal. Los
mismos ruidos. Autos y gente que ríe. Hay un bar,
no sé dónde, socorro, digo bajito. Estás sobre mis
párpados tapiados, las rodillas mudas. Acartonán-
dome en mi propia gruta de cartónpiedra. Abres
bruscamente todo lo apelmazado.

Tus nudillos, codos, huesos me rozan mis apenas
cartílagos. Se derrumban los muros, mis muslos
gritan y entra el mar. Un chorro de ti con violencia,
como esos silencios tuyos sin réplica en la mesa del
comedor, quebrando copas sin tocarlas. Yo soy tan
sólo una vaina pequeñísima donde cae el grito, mi
mismo grito. Un surquito de tierra soy. Me estoy

deshaciendo, me vuelvo tierra de las de última calidad. Cómo pesas, licuoso sobre mis muslos. Mínima, quedo de espaldas.

Mi puro hollejo de ojos cerrados. Casi no estoy.

–Ni siquiera me desvestí –susurras, orgulloso, y veo que sonríes en la oscuridad, prendiendo un cigarrillo. Lo fumarás sin prender la luz y la lumbre será el ombligo de esta noche que no termina nunca.

CAPITULO SEIS

DE UN TIEMPO a esa parte, la señora K. pensaba siempre en lo mismo: que ella no servía para las fiestas. Por ejemplo, nunca podría bailar el trencito, tomada de las caderas de su acompañante, que las iba moviendo escandalosamente, topándose con las mesitas de arrimo. Hasta los malos pensamientos los tenía de corcho. Se miró al espejo antes de lavarse los dientes. Y le dio mucha tristeza. Entonces se peinó con el pelo detrás de las orejas, bien tirante, porque iba a trabajar mucho en la vida, sin pensar en nada más.

Mientras estaba barriendo, Mauro despertó en medio de una inundación de urgencias. Dónde están mis ternos, mis camisas, las claras, por qué no están planchadas, esta corbata no tiene nada que ver, apúrate, en qué estás pensando, que pierdo el avión, mis gemelos, los de oro, pero rápido, mirando el reloj con los labios apretados. Empujó una maleta con los puños pálidos y la prisa latiéndole en el cuello.

Mientras tomaba de pie la primera taza de café

cargado, le dijo, mirando el diario, cuando el sol comenzaba recién a salir en la esquina de la mesa:

–Te dije que tenía Convención esta semana, ¿no?

–No –dijo la señora K–. No me dijiste.

–Sí te dije –puntuó él–. Te confundiste. En Venezuela. Por cinco días.

–¿Vuelves el sábado? Le echó mantequilla a un pan la señora K.

–Dije cinco días –contestó él–. Cuenta.

Y miró la hora por décima vez. Y dijo que el taxi del aeropuerto no pasaba nunca, qué se creían estos irresponsables, y por qué estás tan distraída mirando por las ventanas. ¿Echaste la loción para después de afeitar?

–Estaba pensando en las fiestas con serpentina– dijo la señora K. Pero él no contestó y abrió la página en los anuncios de venta de autos hasta que sintió la bocina tocando en la vereda.

La señora K. se quedó sentada cuando lo vio dirigirse a la puerta levantando un aire de colonia, de prisa embaldosada y de llaves que sonaban en los bolsillos, recomendándole que no olvidara pagar la cuenta del gas y que cerrara el portón en las noches porque el auto estaría solo y que no hablara demasiado por teléfono, porque él la iba a llamar desde la Convención. El garaje quedaba cerrado. Que tomara colectivo. El dinero –cuando salía, Mauro hablaba de "dinero"– estaría donde siempre, con un aire de misterio, a pesar de que estaban solos.

La señora K. siguió sentada cuando él se fue por el pasillo hacia la puerta de calle y también cuando volvió, corriendo a buscar los diarios. Una gota de agua con gomina le corría por la cara.

–Adiós –dijo él mirando los encabezamientos–. Cuídate.

–Tú también –contestó ella. Y cerró la puerta, sujetando el choapino de la entrada.

CAPITULO SIETE

Entonces, la señora K. descubrió que tenía cinco días justos, pero no sabía para qué. Estaba angustiada y respiraba agitándose, guardando cosas donde no debía. Era como la última oportunidad para algo. Los niños no estaban, ni su marido, ni su maletín, ni su paraguas, las cuatro cosas que pesaban en la casa.

Después de eso, ya no tendría más días. Eso, la señora K. lo sintió fuerte, junto con el pesado olor a almidón de las camisas que habían quedado sin echar en la maleta. Es decir, podría seguir viviendo si quería, pero ya el tiempo se le habría escapado definitivamente de las ventanas y de las puertas. Nunca más tendría la casa para ella sola. Ni tiempo para ella en su cartera, como un billete nuevo. Volvería a comprar el pan y las verduras los miércoles y hacer las camas, como lo había hecho siempre. Porque todos creían que la señora K. había venido al mundo para eso: comprar las verduras los miércoles y hacer las camas. E ir a las fiestas con vestidos amarillos. Y pagar la cuenta del gas que quedaba tan a trasmano.

De pronto se dio cuenta de que no había barrotes en las ventanas. Eso había sido antes, cuando vivían recién casados junto a la pieza de la señora que criaba al gato con cerveza y buenas palabras.

"Qué olvidadiza me pongo cuando llevo esta bata", pensó sonriéndose la señora K.

Arriba, en el segundo piso, el dulce ruido de cosas sonando sin causa en el sol de invierno, desgranándose como un hilo de suaves sílabas de un arroz de rutina, repletaba los huecos funestos de la soledad.

A pesar de todo lo que tenía que hacer en la mañana, la señora K. caminó despacio hasta el espejo de su baño. Lo restregó con limpiavidrios, echándole mucho y demorándose en extenderlo por la superficie hasta dejarla casi sonando a perfección.

Después se acercó mucho a él. Caía el reflejo de la ventana del dormitorio y la pieza se llenaba con la luz plomiza, alambrada de los días de semana. La señora K. quitó del estante sobre el lavatorio los frascos de loción para afeitar y se miró.

De cerca se veía su cuerpo sin apelación y sin que se reflejaran las toallas de las consolas de atrás.

Era de corcho. Sin una gota de translucidez, a pesar de la crema que se ponía a veces. Granuloso y compacto como la piel de las toallas, atesorando los sinsabores y cosas que no se fueron, como nudos de un árbol. Reseco, ella era una de esas maderas porosas, empezando a desgreñarse, sobre todo en las nalgas, se acercó. Una sequedad algo más antigua ahí, con la piel como el viento deja a algunos cerros de arena después de haberlos desbastado: grietas, temblores a la más mínima presión, dos redonduras quietas, sin vibración. ¿Dónde había volado su cola

38

de caballo montada en la alegría jugosa de los días para morder? ¿O esa piel de fruta verde que llevaba con ella hacía unos años?

La señora K. tocó tristemente sus hombros de corcho. En el espejo se oyó el chas chas de las manos recorriendo las rodillas y los talones durísimos, los mismos que caminaban pisando lechugas los días de feria, los sordos brazos que cargaban bolsas de malla.

La señora K. llegó a sus orejas de corcho puro pegadas a la radio mientras pelaba papas, en los días en que todo parecía formar un gran puré. Tampoco su pelo emitía visos de miel alguna a pesar de estar al sol. Amarrado en la nuca, callaba. La huasqueaba el apuro de las miles de cosas por hacer.

Ninguna empleada había pasado la inspección de Mauro. A todas les encontraba dientes cariados, caras de ladronas o, lo que era peor, de envenenadoras. La señora K. había terminado por hacer todo ella misma, provista de escobas y paños de distinto uso. En su sillón, Mauro consultaba catálogos de máquinas electrónicas que aseguraban que uno podía dormir mientras cocinaba; pero terminaba esperando el próximo modelo, porque sería absurdo desembolsar en algo que va a resultar anticuado antes de que termines de pagarlo, decía soñoliento, mirando entre sus pestañas a la señora K. que se afanaba haciendo todo a mano y guardando los envases de vidrio por si acaso, lavando ollas, vaga como si estuviera pensando en otra cosa. Y pensaba en otra cosa, en medio del vapor de las horas.

Muy triste frente al espejo, ella cerró los ojos frente a su destello y se llevó las manos a la cara. Y entonces, descubrió dos pequeñas palomas que aleteaban, llenas de lágrimas, ¡ah! ¡los párpados! Esos se movían.

La señora K. se acercó aún más a la minucia del reflejo impecable y se fue tocando los párpados con la yema de los dedos. Apenas. Sentía el vientre del ojo dentro, temblando, deliciosamente lleno de una vida moviente.

Estuvo mucho rato ahí, tratando de mirarse sus propios párpados que borboteaban una existencia encortinada. Sus pupilas se hundían en lo recóndito de su cerebro cuando los párpados se paseaban frente a la luna del espejo, ciegos, inquietos, carnosos. Pero se los adivinaba con las puntas de los dedos mojados por las lágrimas. ¿Ahí estaría el alma, en sus párpados, latiendo? Era lo único que palpitaba.

Bajo la caricia continuada, se pusieron calientes y su pulso comenzó a campanear cada vez más rápido, con los dedos saltando y aquietándose sobre sus ojos cerrados. La señora K. se acordó de cuando soñaba: ahí tenía un cuerpo flexible y jugoso como un mimbre, súbito, de poros alerta como antenas, que cruzaba los aires, atento a los menores roces. Ah, era tan distinta cuando soñaba, y tan veloz. Nunca se sentía triste ni pesada de piernas, a pesar de que vivía en la misma casa, con los mismos pasillos; pero era ella la que volaba con sólo encoger un poco las rodillas, ya dejaba el suelo, las baldosas sucias, y se elevaba pasando por sobre el piso sin barrer.

Un corto momento la envolvió lleno de fuerza, como si se hubiera metido en una potente maquinaria. Se dio cuenta de que no era de puro corcho, como se sentía desde hacía tanto tiempo, sobre todo en las fiestas, sobre todo bajo los silencios líquidos de su casa, bajo la colcha, cuando se terminaba el último programa de televisión en las noches y ella se ahogaba, sin nada que decir, sin respirar para no levantar las furiosas mareas nocturnas. En esas ocasiones se ponía la bata y se acurrucaba bajo la almohada, temblando como una niña sola.

La señora K. se asustó de la fuerza que iba acumulando sobre la curva de sus párpados calientes, agitándose sobresalientes, como dos pequeños pechos agitados.

Cuando por fin abrió los ojos, se vio en la superficie de plata con toda su piel detenida y muda; se vio, de pie, junto al mueble de las toallas, en medio de los frascos de variadas lociones dérmicas de Mauro, cilindros perfectos alineados junto al muro. Tenía brillosos los ojos. Como si hubiera llorado. Y había llorado. Pero era esta vez un brillo más alegre, abiertos en una absurda expectativa de no sabía qué. Como cuando era joven y en la noche iba a tener una fiesta. Sonrió levemente, casi sin mover los labios. Una pequeña parte de su cuerpo no era de corcho.

Entonces sonó la sirena de las doce. La señora K. se dio un golpe con la mano en la frente y abandonó el espejo de cuerpo entero.

Corriendo hizo las camas, tendiendo la colcha a golpes certeros de su palma. Corriendo bajó casi a la siga de sus zapatos, que le quedaban un poco anchos, arrancó todas las bolsas de malla de un tirón y salió desaforada a comprar pan, verduras, algo de fiambre. Estaba atrasadísima.

Y de pronto vio cómo el atraso se desvanecía en medio del aire del mediodía, como un encantamiento. No iba a llegar nadie, ni Mauro ni los niños. Nadie la apuraba. Ah, la cuenta del gas, ésa la podría pagar otro día. Sintió un pequeño zumbido de poder dentro de su corazón, un insecto. Esa minúscula semilla fue creciendo a medida que su paso se hacía más pausado, como el de una señora. Se demoraría un poco más. Algo volaba dentro suyo diciéndole que no había perdido el tiempo.

En su casa, el espejo, sin objeciones, quedó solitario. Pertenecía a un gran armario, regalo de una de las abuelas. Tenía puerta giratoria como la de los bancos, que nunca se abría porque en el baño de la señora K. había el espacio justo para secarse con la toalla.

Desde abajo se oyó la llave en la cerradura y entraron los pasos cómodos de la señora K. con las bolsas, las llaves, el diario y el pan. Entonces, la puerta del espejo se abrió lentamente, sin que nadie se lo pidiera, como un barco que partiera sin destino.

CAPITULO OCHO

AL DÍA SIGUIENTE, la señora K. hizo las camas atarantadamente. Ni siquiera cambió las sábanas, como le tocaba esa semana. Cuando entró al baño y vio la puerta del armario entreabierta y el espejo balanceándose en el aire de la nacida mañana, la cerró bruscamente sin mirar adentro. Sin embargo, sabía que no iba a poder hacer nada por cerrarse los ojos de adentro a la seguridad de una maravilla que venía viajando desde hacía tiempo. Muchas veces se había soñado, durmiendo en su camisón como todas las noches y esa puerta se había ido abriendo de a milímetros, con infinitas precauciones, para no mostrarse sino ante ella, que contenía la respiración y que veía dentro la silueta de alguien de hombros tan hermosos que ya no quería que la puerta se cerrara nunca más y no tenía más tristeza hasta que llegaba la hora de hacer el desayuno como todas las mañanas.

La señora K. se sacudió los hombros y luego de haber cerrado firmemente la puerta con cartón para que no se abriera con el viento, se lavó la cabeza larga y concienzudamente, hasta despertar del todo; nunca se sabía muy bien cuándo terminaban los sueños de la mañana; le solía pasar que continuaba en el mismo riel de la noche. Pero ya los ruidos de la realidad, envueltos en los gritos de los vecinos que peleaban por un cálefont apagado y la escala de un afilador que pasaba a lo lejos, la hicieron pararse derecha. Se secó vigorosamente con dos toallas y se puso la solera de flores azules. Le gustaban los tirantes delgadísimos que a veces se le resbalaban un poco.

La visión de los hombros de ese alguien muy suave había venido otras veces, justo en medio de atroces gritaderas de Mauro, que no encontraba camisas planchadas del color que quería. Ya no se acordaba muy bien. Pero la imagen había venido a calmar desesperaciones, y no podía menos de sonreírse al ver gesticular a su marido, montado en la ira y ella mirar de reojo por el baño a esta dulce silueta imprecisa, de pie y extendiéndole las manos; qué hombros más lindos, había pensado la señora K. antes de abrir los ojos y planchar camisas.

La otra noche, se acordaba, fue nuevamente al armario, a ver si todavía seguía ahí o de verdad bajaba del cielo. Pero entonces Mauro le había pedido un café, tamborileando los nudillos desde el comedor. Y después una cosa u otra y no hubo tiempo para acordarse.

Ahora aparecía de nuevo, desde el fondo del armario no se lo distinguía bien, la señora K. apenas lo vislumbraba; Mauro hubiera dicho que era la sombra de los colgadores de la puerta, obvio; pero ella intuía que se trataba de alguien más personal y benéfico y sobre todo, sin silencios tajantes en la mesa, ni tortícolis, ni apuros de taladro. Enrojeció y cerró todas las puertas.

Fue corriendo a las compras, casi sin peinarse. No se dio cuenta cuando compró pan duro, ella, que le daba tanta importancia al pan blanquísimo derramando perfección sobre las servilletas de género albo y el mantel almidonado hasta la obsesión. Tampoco se dio cuenta y en la feria echó a la bolsa unas espinacas marchitas, casi de trapo.

Algo no calzaba. La señora K. tenía fama de regatear las mejores espinacas de la feria para su budín sin mácula. Pero esa mañana, ella llegó con la verdura medio escapándose de la malla, colgó el pan en la percha de la entrada con las llaves de la casa dentro de la bolsa, en vez de guardárselas en el bolsillo como hacía siempre y subió las escaleras de dos en dos hasta su pieza y cerró. Después la abrió. El teléfono del pasillo estaba sonando. Era para ella.

—No está la señora K. —dijo alzando un poco la voz.

Y colgó. Se quedó un instante escuchando los pequeños crujidos de la mañana que comenzaba a desplegarse, los muros que se desperezaban. La señora K. silenció el timbre del teléfono, entró a su dormitorio y cerró con pestillo. Era la primera vez que lo ponía en su vida.

Tenía la impresión de que aún no había acabado de despertar del todo, pero a la vez, el día se pegaba a sus talones con todo el calor de un sol imprevisto. Abrió la puerta del baño. Ahí estaba el armario, cerrado y opaco como si nada hubiese pasado nunca.

Y tal vez, decidió, lavándose la cara, nada había pasado nunca.

CAPITULO NUEVE

EN EL BAÑO, sacó todos los jabones y esponjas que se reflejaban, desde el tocador, y los dejó sobre la taza del silencioso. Hizo lo mismo con las lociones de Mauro, de nombres primitivos, Brutus, Hércules, o lejanos como barcos, Azzaro, Vetiver. Olores secos. Mauro guardaba los envases en una caja de whisky y no quería que la señor K. le sacara las etiquetas restregándolos.

Le pasó limpia vidrios a la cubierta ovalada con una toalla nueva, lo que habría provocado una pelea, pero ahora, la señora K. era dueña de su propio territorio.

"Después la lavo", pensó.

No dejaba de mirar el armario con la puerta sujeta con el cartoncito. No se oía ningún ruido. La señora K. se acordó de que hacía tiempo que le venían pasando esas cosas: lo de encontrarse con personas, por segundos, en los lugares más desusados de la casa, como en la despensa esa vez (pero no era lo mismo que aquí). Ella había tocado a Mauro en el brazo, que estaba en el jardín, para que mirara. Estaba segura de haber visto a alguien. Pero Mauro la había mirado fijo, con esos terribles ojos de fiscal que tenía casi siempre y después le había mostrado la reja del vecindario con la mano. "Nadie, ¿entiendes?, na-die entra acá sin identificarse en portería. Para eso me saco la mugre con el arriendo, entiéndelo de una vez o tómate un valium". Y había seguido, durante horas hablando, no se sabía por qué, de todo lo que él se sacaba la mugre en la vida, mientras la señora K. trataba a duras penas de reconstituir el fugaz paso del leve desconocido por la despensa y de recordar si tenía cejas castañas o más bien oscuras. Pero nunca podía recordar ningún rasgo. Sólo la sensación, más bien de un secreto, como un chocolate escondido o un regalo, que producía un placer recóndito el no poder hablarlo con nadie. Puso otro tope a la puerta del armario, esta vez arriba, y cerró el pestillo oxidado, hundiendo un poco más la hoja del mueble hacia adentro. Se sintió en paz, como si de veras hubiese despertado. Pero llena de una fuerza desconocida que le revoloteaba alegrándola; se sorprendió y se miró la boca; las dos comisuras estaban en el lugar de antes, un poco elevadas hacia arriba, sujetando los labios llenos.

Lentamente, la señora K. se quitó la solera y se acordó, no se sabía por qué, del pleno invierno, de sus caderas enfundadas en una falda príncipe de gales, tan gruesa que parecía una piel de animal malhumorado y la blusa de diario, que había sido de su marido, con las mangas acortadas y abotonada sin recurso desde el primer botón. Esta vez, de entre la ropa suave, apareció su dulce cuello en el espejo; se veía alto; elegantes y levemente arqueados vio los huesos de su clavícula, se enderezó la señora K. Pensó en una yegua de carrera que había conocido en el campo de su abuelo, cuando niña, tan grácil que casi se deshacía al galopar. Sacó una manchita del espejo con la punta de la uña.

–Me voy a duchar –dijo fuerte la señora K. en el silencio de su baño. Y se sacó el sostén potente, con un refuerzo de ballena insobornable, que quedaba con un pequeño espacio vacío, porque uno no le puede andar haciendo asco a los artículos importados y no hay que ser tan exquisito en la vida, decía su suegra. Igual se le hundía en las costillas cuando caminaba con paquetes pesados. Y también se sacó el calzón-faja; según el turco de la paquetería, le daría la silueta perfecta y le mostraba la tapa de la caja, pero a ella sólo la convertía en un cilindro perfecto. "No hay que ser exigente, señora, usted está muy bien", había dicho el turco, pero eso a la señora K. no le quitaba la sensación de andar como un tanque de guerra. Por eso le gustaba ducharse. Cerró la ventana entreabierta, desapareció el cielo azul y la puerta ovalada del espejo tembló ligeramente.

No se duchó; en vez de eso, apareció ante el armario sin brizna de ropa, ni interior ni exterior, sin toalla, encogiéndose un poco, como hacían las mujeres de su edad cuando estaban desnudas en alguna parte. Y se volvió a mirar, aguantando a pie firme el arbusto granate que le subía desde el cuello. Todos los cuerpos le daban rubor a la señora K. No; los de los niños no, pero ésos eran distintos, eran para estar desnudos, con los muslos creciendo en una apretazón llena de gracia.

Su cuerpo... era difícil mirar su propio cuerpo. La señora K. sentía el rubor ramificándose como corales pequeños por sus mejillas. También enrojecía al sonido de las roncas conversaciones, de esas que se derramaban al oído en las fiestas donde se sacaban las alfombras, llenas de puntos suspensivos y olor a licor; de esas que oía en los distintos sillones de la penumbra, mientras observaba a su marido bailar bajo tómbolas lejanas; todo eso la hacía ponerse muy roja y buscar cortauñas en su cartera, sin saber para qué.

Cerró los ojos de pie y se buscó los párpados vivos. Ahí estaban las palomas de sus ojos latiendo con violencia. La señora K. los amansó suavísimamente con sus yemas, acariciando en redondo, y los ojos le latieron con delicia dentro de sí. Pensó en las fiestas de nuevo, en las miradas de las mujeres de las fiestas; en esos ojos brillantes, llenos de alas azuladas y cargados de pestañas negras que se cerraban y se abrían lentamente mientras se acercaban a los pechos de los bailarines en una cautela de cisnes negros que timoneaban un hechizo. Ella nunca podría hacer eso, pensó. Ni siquiera ponerse sombras en los ojos, porque tendía a cerrarlos y el ojo le quedaba como pintado a brochazos. Lenta, lentísima, la señora K fue bajando, buscando con sus dedos que tanteaban como ciega su propio cuerpo. Por sus muslos, el costado de las piernas navegaba, perdida, la sensación de un pulso en su ser.

Por la ventana, que se había abierto de nuevo, se dejó caer un pequeño tumulto de papeles quebradizos. La señora K. no abrió los ojos. Que entraran como siempre, pensó. Eran las hojas del árbol apelotonándose para ver en el interior de las habitaciones.

También sentía mullirse, blando, el paso de afuera y la alfombra del primer piso, al volumen de unos pasos solos, sin nadie sobre ellos. Los dejó pasar también: circulaban tantas cosas, sonidos y siluetas por su casa en este último tiempo; susurros de paz, amables silencios que se vertían sobre las altisonantes sílabas de Mauro, que nunca encontraba las cosas en su sitio y se exasperaba buscando corbatas inexistentes. Y que venían a calmar la aterradora pesadilla de las noches con barrotes. Suaves crujidos como de madera después de la tormenta recuperando la calma del universo. Y ella también había recuperado algo que orillaba, suavizando sus ademanes tristes. La tenían por una señora de traje de dos piezas incontestable y cocina armoniosa, pésima para bailar. Ella no servía para esas cosas de piel, como decía su marido. Los débiles sonidos, como de masa expulsando aire, fueron a perderse abajo, entre las tinajas de la puerta de reja, donde iba a parar casi todo lo que no tenía clasificación y los pedazos de juguetes viejos.

Sintió su propia presencia de cáscara algo ciega. Sus dedos preguntaban desesperadamente a cada poro de su piel, urgiéndola con detención.

De pronto, las manos de la señora K. se detuvieron en las rodillas y fueron girando imperceptiblemente hacia la parte posterior de las piernas. Y detrás de las rodillas, encontró algo viviente, no a la manera de sus párpados, convexos y palpitantes, sino más hondo, oscurecido, más inquietante que las puertas batientes de los armarios o de las pisadas sin dueño o incluso que los silencios súbitos del mundo.

Ahí estaban las corvas de sus rodillas. Lo que desaparecía cuando uno se hincaba, pensó la señora K. Se las tocó muy suavemente con las puntas de sus anulares. Primero fueron como una leve línea entre dos volúmenes más decididos, un delgado canal, se le figuró a la señora K. O como las redondas articulaciones de las marionetas. Pero no. Una pequeña cavidad distendiéndose, que se iba entibiando a medida que la tocaba su dedo medio, aparecía, secreta y húmeda, detrás de su rodilla. Hacia el lado interior de las piernas se anunciaba una pequeña hondonada, más caliente aún; ahí, los dedos tendían a quedarse, besados por el beso justo de la yema y una cierta ansia de la pequeña cavidad por retener la piel de sus dedos.

El mundo de las sábanas y de las toallas y de los rincones por barrer había desaparecido. Sus manos estaban muy calientes. La señora K. permanecía con los ojos cerrados, pero sus dedos recorrieron una y otra vez la cavidad sudorosa, que se fue hinchando y que succionaba las yemas pidiendo como boca sus pulgares cuando éstos se acercaban hasta casi topar levemente las corvas, como una indecisión redonda, sin querer entrar y entrando un poco a sus tinieblas mojadas por el calor.

La señora K. se tocó los huecos de sus rodillas muchas veces. Cada vez las pequeñas hondonadas se iban poniendo más y más sensibles, casi salían a encontrar el tacto de lo que la tocaba y le gustaba mucho. Con los ojos temblando, sentía ahí, en la mitad sorpresiva y mecánica de sus piernas hacendosas, dos regiones que iban despertando como un pequeño volcán. Y se acordó que cuando iba de visita, esas mismas regiones eran las que sentía tirantes, enfundadas en medias color visón, como dos alambres trenzados que envararan sus pasos, mientras por arriba, en la región de los rostros, ella sonreía y parecía muy feliz de estar tomando el té y hablando de los precios de los arriendos, de los abusos de las empleadas de veraneo y demás cosas que se ventilaban en los salones con más de una alfombra.

En cambio ahora, sus dedos y su corazón latían al contacto de esas regiones carnosas que también respiraban agitadas. La señora K. se hundió un poco los dedos en las corvas. Después un poco más. Y otro poco. Los párpados cubiertos de sudor le palpitaban pesadamente. En la oscuridad sin espejos, sus ojos sentían gruesas bocas buscando un hueco donde anidar, todas con el mismo rostro borroso de esa silueta adolescente, medio tímida que aparecía a veces por los pasillos de su casa, como yéndose siempre. Había creído verla un día desde el jardín mientras regaba, pero era el reflejo del sol en el ventanal, eran tantas cosas, como un atado de nostalgias. Había tirado agua al ventanal y el reflejo quedó oscuro, chorreando una capa luminosa. La señora K. se sorprendió recordando con placer esa vaga situación de alguien ahí, sin impaciencias, sin puntualizar, ni decir nada, parecido a nadie en su paso fugaz de zapatillas silenciosas, como si fuera alguien que pasaba sólo a echar una mirada y seguir camino.

Mauro había declarado que no era posible estar comiendo sin sal durante toda una semana y que la señora K. la cortara con las visiones, que no llevaban a ninguna parte y gastaban gas. Pero la señora K. pensó aquella vez que ojalá se tratara de visiones para conversar con alguien; esos leves ademanes le gustaban por lo demás y miró aquella vez a su marido sin tanta suavidad.

–Por si fuera poco, además de los impuestos y el arriendo vamos a tener fantasmas también, lo único que nos faltaba –dijo esa vez Mauro, sacando una por una las hojas de la alcachofa.

–No es lo único que nos falta. Nos falta mucho más y no me interesan para nada los fantasmas –dijo de pronto.

Mauro quedó de una pieza. Después se repuso y tomando la delantera le dijo que la cortara con esas tonterías de adolescente que ya no te vienen, que se lavara la cabeza con otro shampoo, había agregado como broche final. Ella pensó que siempre Mauro necesitaba poner un broche final a cualquier cosa.

Pero ahora estaba sola. La señora K. se tendió en el suelo del baño, sobre la toalla mayor de la casa, que estrenaba su limpieza de cloro. Juntó, leve, las rodillas con las manos; las acarició por arriba, compadeciéndose de los duros huesos irregulares, abruptos que se esgrimían como radares. Luego acarició una y otra vez la sombra carnosa y dulce de atrás. Sintió que esta parte latía, viva, como la risa de muslos de las mujeres hermosas en las fiestas. Abrió los ojos, miró sus piernas y se rió francamente de sus rodillas, muy juntas, sobresaliendo de faldas escocesas, sentadas en salas de espera de múltiples dentistas y ministerios. Y sus serias rodillas tenían atrás, quién lo hubiera pensado, esos dos deliciosos secretos cóncavos, de un palpitar moviente y caprichoso.

De pronto vio la pelotita de ping pong de los niños, olvidada en el suelo del baño, mojada con dos gotas de ducha. La puso detrás de las rodillas, sintiendo cómo se iba calentando a medida que sus cavidades la sentían deslizarse por la piel alerta. Los músculos también venían al encuentro palpitante de la pelota. La tuvo mucho tiempo así, encerrada tras sus piernas, mientras sentía el viento penetrar por la ventana abierta del pasillo.

La señora K. se desperezó lentamente. Estaba sonando el teléfono. Se puso la toalla de baño, tibia con el calor de su cuerpo, y fue a contestar. Recordó que había desconectado la campanilla hacía un rato y lo agregó a la larga lista de cosas sin explicación que llenaba su vida y los dormitorios. No era nadie.

CAPITULO DIEZ

AL DÍA SIGUIENTE, la señora K. se levantó muy temprano, tanto que le pareció que no se había acostado en la ancha cama matrimonial, que sólo parecía matrimonial cuando su marido no estaba, con su marquesa majestuosa, deslizándose a dos aguas por la habitación. Vio que había quedado abierta la puerta del patio y que se batía desganada, con un leve quejido. Parecía que alguien se movía tímidamente en la cocina, pero la señora K. bajó y no vio a nadie. Un asiento del sillón de la sala aparecía hundido como si alguien acabara de sentarse. Ella lo ahuecó y se puso a barrer.

Barrió toda la vereda, aunque el empleado del condominio se enojaría si llegaba a verla, poseída de una fuerza alegre que iba y volvía de la escoba y hacía volar las hojas cavilosas del otoño. El vecino jubilado, agazapado en su sillón perenne, la miró por la ventana y siguió haciendo su solitario a través de su verruga gigante que anunciaba cuando iba a llover. Y después, el frutero movió la cabeza cuando vio pasar a la señora K. revoloteando su solera y levantando tierra y hojas en un remolino de buen humor.

Ese día fue la primera en comprar el pan y pudo elegir, quemándose casi al tocarlas, la forma de las hallullas calientes. Cuando volvió a pasar silbando por la verdulería, el frutero le dijo:

–No toca silbar. No es primavera.– Y miró su calendario para frutas de estación, colgado sobre la caja.

–Claro que es primavera –dijo la señora K. sonriéndole y mirándolo a los ojos. Y el frutero –aunque no le gustaba nada pensar en cosas positivas porque después resultaban al revés– pensó: "Qué lindos dientes tiene esta mujer". Y le vio la suavidad íntima, medio olorosa, que volaba por su rostro. Cuando la perdió de vista, al fondo de la cuadra, pensó de nuevo: "Parece mucho más joven esta semana, en realidad".

–Qué tontería –dijo después en voz alta, en medio de su verdulería y siguió seleccionando paltas de segunda para ponerlas bajo la capa de las de primera.

La señora K. subió los escalones y fue directo al dormitorio. Por la ventana del baño entraba el chorrito de una primavera anticipada.

Llegando al descansillo, lo vio: era algo como un muchacho, con los botones de la camisa sueltos. Las gotas redondas del sol de los visillos le caían en la cara como pequeños nimbos y no se lo distinguía bien. A la señora K. le hubiera gustado que se detuviera para verle mejor esa cara aguileña, que pasó fugazmente a su lado sin toparle los hombros, medio sonriendo y se alejó.

Pero después pensó que le gustaba más que fueran así las cosas, como yéndose.

–Prefiero querer que se quede a que se quede– pensó y se puso un poco roja.

Pareció salir al patio, dejando todas las puertas abiertas, que empezaron a golpearse, la señora K. sonrió, igual que los niños, pensó. Y partió en su busca, quizás, más que nada para tocarle el hombro y que se diera vuelta y verle la sorpresa.

Pero en el patio no había nadie. Sólo las ropas tendidas se movían galopando furiosamente en el viento. Sin querer la señora K. miró dentro del lavadero y por la cañería. Sonrió de las cosas que hacía a veces sin saber por qué y entró a la sala cerrando el ventanal y mirando todavía para afuera, mientras la tarde se venía acercando. Subió pensativa los escalones y lentamente cerró la puerta del dormitorio. Aunque no hubiera nadie.

CAPITULO ONCE

ENTONCES, LA SEÑORA K. se dio cuenta de que algo estaba cambiando dentro de ella. Hacía muchos años que no era capaz de cerrar una puerta con llave. Y mucho menos por dentro. Pero ahora, la casa parecía pertenecerle por completo.

Fue caminando lentamente hacia la cama matrimonial. Era muy baja, y casi cuadrada, con una gran marquesa quiteña labrada a cuchillo, regalo de por vida de la madre de su marido. Esta la lustraba cada quince días, cuando venía en visita de inspección, lanzando al aire frases como "el descuido con los muebles revela el descuido con la propia persona" y otras máximas que la señora K. olvidaba por completo, apenas oídas.

Lo peor era que también olvidaba comprar lustramuebles. Entonces Mauro decía que la culpa de que Mamucha estuviera mal de los nervios y con la presión alta, era exclusivamente de ella, de la señora K. Y en esas ocasiones, la señora K. se volvía un poco cruel y no le importaba nada el tormento de

Mamucha, que suspiraba en el diván. Era más aún: le gustaba un poco. Después sentía que era muy mala y le preparaba grandiosos tés que Mamucha aprovechaba copiosamente, con aire distraído y sufriente, agitando los dedos delante de las fuentes para indicar que le sirvieran. Y así era todos los miércoles y los sábados. A la señora K. no le gustaban los miércoles ni los sábados y le encantaban los jueves, que era el día en que caían las hojas secas en la cuadra y en que pasaban los basureros manuales, que se peleaban por las bolsas de papel y las botellas vacías como verdaderos leones frente a las rejas de las casas decentes.

Después de probar la puerta y ver que no se abría, la señora K. caminó hasta su propia cama y la miró como si no la hubiera visto nunca. Le pareció muy ancha, cubierta hasta el suelo con un edredón blanco de hilo, tejido a mano y a suspiros, en punto de bolillo. Un verdadero castigo, pensó alegremente. Su suegra había sido heroica siempre.

Con la boca entreabierta, como si tuviera el cuesco de una aceituna entre los dientes, la señora K. se sacó la ropa y con mucho cuidado fue desperdigándola a lo largo de la pieza, tal como le habían enseñando, de niña, que no se debía hacer; quedó desnuda, sentada en medio de la cama sobre el punto albo.

Abajo, el viento de la tarde hacía temblar ligeramente los vidrios sin cortinas y se oían blandos movimientos afranelados y pies desnudos que se desplazaban chasqueando por las baldosas de la cocina. Todo esto se mezclaba al murmullo de las hojas escapadas de los árboles y expulsadas por las mangueras vecinas que entraban, empapadas, a husmear a la sala. Siempre que estaba Mauro, las barría; él no las soportaba. Pero ahora se agrupaban con un ruido de dos días y a ella le gustaba oírlo.

El dormitorio permanecía con las cortinas echadas y las ventanas abiertas detrás, inflándolas fogosamente. Por las junturas de las puertas penetraba el augurio del viento desaforado de la siesta y los encajes volaban desbocándose. No la veía nadie. En el centro de su cuerpo había algo cerrado también con llave, cubierto por un edredón blanquísimo. La señora K. se fue acostando lentamente y se tocó el ombligo, sintiendo la molestia que siempre sentía cuando lo rozaba; como si desde ahí alguien tirara y entonces, saldría ella entera, destejida de la tripa indecisa con que estaba hecha. Ah, no, pensó, a ella no la desharía nadie en esos días.

Se sacó el dedo del ombligo y fue subiendo por los costados inquiriendo la piel con sus palmas abiertas. Llegó a las axilas y ahí se detuvo. Morosos, los dedos entraron a la concavidad tierna que se abría bajo los hombros.

Un golpe de viento cerró de un golpe la puerta contigua. Se sobresaltó pero no se puso de pie. Nuevamente venían desde abajo esos suaves movimientos lejanos y precarios como alguien apenas estando que se desplazaba por la casa, con más libertad, ahora que Mauro no estaba. Aunque su suegra decía que era de primitivos creer en esas cosas, lo que era ella, creía nada más que en los arquitectos y en el fierro de las vigas y por supuesto, en el aseo profundo. Lo demás era de tontos. A ella que no le vinieran con esas presencias absurdas que andaban apagando calefonts, cerrando puertas de golpe o desordenando closets; una buena dueña de casa se reconocía en el choapino de la entrada. Y la señora K. temía que su choapino no era de los buenos.

A la señora K. le gustaban mucho sus axilas. Un día en una fiesta de Año Nuevo alguien le había dicho que las tenía preciosas. Ella había huido, agitadísima, hacia el rincón del tocadiscos. El que se lo había dicho era un tío que viajaba mucho, que tenía fama de ser sibarita y de usar las corbatas más finas del continente. Y ella se había puesto tan orgullosa de la mirada del tío, que resbalaba sobre ella como el pájaro por la dulce redondez de la fruta. Tampoco esa vez había sabido dónde poner sus brazos y repartió ceniceros sin ton ni son por el recinto. Pero no se le había olvidado nunca que tenía bellas axilas y tuvo esa pequeña tarde, la seguridad de estar parada sobre la piedra insolente de la belleza. Lo recordaba hasta ahora; sus brazos aún seguían jóvenes y plenos. Sonó la puerta del jardín y la señora K. levantó una punta del visillo. Su suegra estaba tras la reja, tocando el timbre y golpeando impaciente con el pie, mientras sostenía una fuente que humeaba.

La señora K. se acostó de nuevo en la cama y dejó que todos los matices del timbre, hasta la furia más violenta, sonaran subiendo su estridencia por las escaleras. Hasta que no oyó nada más.

Entonces levantó de nuevo la cortina y divisó el moño lleno de trabas de carey de su suegra revisando la cerradura del garaje y comprobando que estaba con llave. Después pasó remeciendo las ventanas. Entonces a la señora K. le entró un terror indescriptible de que descubriera que una estaba abierta. Se metería en la casa con aire de triunfo, pasando por el hueco del medidor de luz, como hacía siempre, buscando desperfectos. El principal desperfecto sería que la señora K. no quería abrir y estaba desnuda sobre la cama, sin nada que decir. No pudo imaginar la cara de su suegra ante esta escena.

Pero no sucedió nada. Moviendo la cabeza, Mamucha sacó un papel metálico de su cartera inmensa y envolvió la bandeja humeante, sumergiéndola en la gigantesca bolsa de malla de tres colores con que se desplazaba por el mundo. Y se alejó de a poco, echando miradas cavilosas al segundo piso. Su sexto sentido de ex adivina le avisaba fuertemente que la señora K. estaba tras los muros, tendida en la penumbra sedosa de su habitación de mujer terca, como la llamaba ella, ordenándole al revés los tarros de harina arroz azúcar sal legumbre, en la cocina.

Por la puerta del pasillo del fondo entraron los ecos de sus pasos firmes perdiéndose en el pasaje.

La señora K. recorrió con sus dedos la sombría cavidad de las axilas; al fondo, donde se detenía la yema, nacían muy suaves unos pocos pelos del color de sus cejas. Ella los adivinaba sin mirarlos.

Dejó sin distender el brazo izquierdo y palpó ahí lentamente; luego levantó el brazo y la cavidad se hizo más redonda.

Su dedo recorrió el borde frágil y carnoso de su axila: tan suave como su boca. La señora K. se palpó la boca y tocó su labio. Era levemente más blando, pero igual de muelle, malcriado y voluptuoso. Estiró los brazos hacia arriba y se desperezó. Algo se abría: el tierno corazón de una nuez latiendo en su cuerpo de corcho.

Abrió y cerró las piernas: sentía los bolillos de

punto de la colcha matrimonial, finos como coyunturas, correrle rientes por los muslos. Le comenzó una sonrisa. Las puntas de los dedos se detenían como leves bocas algo cariñosas que se pegaban una y otra vez a la piel de su redonda axila, abierta al aire de la pieza con la ventana llena de brisa audaz. Carne lisa, sin una vacilación, lomas que iban bajando dulcemente hasta llegar al secreto entre el nacimiento de su brazo y la sombra curva del pecho. Se dio vuelta perezosamente. Su pulgar jugaba leve aún con el fondo de la cavidad, entre los pelos medio mojados, sudando enfurecidos. Sus palmas se abrían en una serie de poros inesperados, que la señora K. ni siquiera se había atrevido a palpar desde ese día ahogado que daba vueltas en banda cada vez que algo pretendía florecer.

Pero todo era ahora muy distinto. Cuando sacaba el dedo, su pequeño sobaco llamaba húmedamente la caricia de los otros. Poco a poco fue dándole más y más toques, hasta que la breve región comenzó a arder. Retenía sus yemas adentro, cada vez más hondo. Se llenó de sudor. Los dedos eran devorados por sus pequeñas cavidades entrecortadas. La señora K. se lamió los dedos y se los pasó por la carne exasperada. Las axilas borboteaban su ardor y las yemas se resbalaban exquisitamente hacia el centro de su ser. Sobre la colcha estaba ella, plena, ocupando todo el espacio que no había ocupado nunca. Pensó que ahí, dentro de sus bellas axilas, existía una garganta hirviendo que vencía al corcho que recubría su persona. Subió los dedos y se los pasó, aún húmedos, por sus hombros. Sintió cómo todo su cuerpo de corcho se estremecía. Volvió demorosamente a anidarse las manos en los rincones candentes y cerró los ojos.

Tocaron a la puerta tres veces estruendosas. Como jamás tocaría su suegra, que odiaba las estridencias y hacía apagar las radios en los buses intercomunales, diciendo que era asmática.

Tocaron otras tres veces. Algo así como los basureros cuando querían aguinaldo de navidad.

La señora K., maldiciendo por primera vez en su vida, se embutió en su bata de casa y se asomó por la ventana.

CAPITULO DOCE

Venían a cortar el gas. Desde las ventanas propias, los vecinos de la cuadra se deleitaban con la potente voz del empleado de gorra naranja, que rebotaba por los caminillos de grava blanca entre jardines, donde esas cosas del dinero que no alcanza hasta fines de mes, eran achatadas y de mal gusto.

Desde antes, la señora K. sabía que era inútil cualquier intento de convencer al empleado, que se afanaba con la llave inglesa, agachado frente al medidor, dando vuelta la tuerca. Lo cortaría igual. Dos vecinos comentaron algo, parapetados detrás de sus rejas, mostrando con el hombro la casa de la señora K. Nunca la saludaban, pensó ella, pero ahora comentaban sobre lo del gas.

De pronto, se sorprendió desnuda, murmurando sola en su pieza. Lanzando una exclamación, se vistió, entresacó de un tirón su cartera oscura de las diligencias y salió corriendo, sí, llevaba las llaves, la boleta, a las oficinas de la Compañía de Gas.

Mauro habría arrugado las cejas hasta juntarlas si hubiera estado. Sobre todo, porque se había sabido en el barrio. Pero en esos días, la señora K. estaba remodelando el tiempo bajo sus propias palmas, como una masa caliente y de forma definitiva. Se sintió contenta de ir atrasada a pagar la cuenta. No sabía por qué. Tal vez era primavera, después de todo.

En la Compañía esperó su turno pacientemente leyéndose todas las revistas sobre los logros de la empresa, mirando todas las fotos del personal, en tenida de gala, en las cabañas bajo los copihues sureños, sin impacientarse. Finalmente la hicieron pasar. Se sentó cómoda y miró al ejecutivo de Cuentas Impagas con tanta convicción que logró una nueva prórroga. Al salir, advirtió que varias mujeres la miraban con envidia y sintió como si hubiera hecho una conquista. La señora K. imaginó con fruición sonriente la cara de Mauro cuando tuviera que pagar la cuenta renegociada. ¿Por qué no la había pagado? Tenía el dinero. No sabía por qué. De pronto, había sido más importante mirar al gerente y lograr que se pusiera nervioso y que ofreciera nuevos plazos. Como recibir claveles.

Llegó al barrio y se sintieron sus tacones: la señora K. pisando fuerte. Sus piernas se vieron casi altas porque era la primera vez que movía las caderas al caminar.

Esa noche se puso a revisar la casa y descubrió que le faltaban por coser los bordes de todos los agregados que les había puesto a las cortinas antes de la venida de las señoras de los jueves. Mientras iba y venía, sintió que algo faltaba, pero no sabía qué; y siguió añorando, imprecisa, hasta que sintió crujir la madera del armario, arriba, en el baño. Entonces se puso a coser.

Recordó una tía suya que vivía en el campo, con los ojos castaños, hermosos y muy abiertos, que siempre estaba saludando gente que pasaba por los pasillos pero que nadie más veía y por eso, los parientes hablaban a espaldas suyas, calculando cuánto costaría llevarla a un hogar de ancianos. Pero la tía sabía que estaban sacando esas cuentas y de vez en cuando les corregía una resta porque había sido profesora de Matemáticas. Decía que en las casas con ambiente siempre hay más gente que la que se sienta a la mesa y que no hay que asustarse por eso. "Lo terrible –decía–, es cuando no llega nadie".

La señora K. cosió algunos bordes a mano, distraída, algo atenta más bien a esta leve presencia indecisa que circulaba sin cerrar las puertas o cerrando la llave de la manguera del jardín para evitar que naufragaran las tres matas de pensamientos plantadas en el antejardín. De pronto, ella se acordó; cuando vio la llave cerrada, sonrió y se puso un poco roja.

Su vecino, el empleado bancario de posición ascendente del bungalow de la derecha, llegó con la jaqueca quincenal y subió por una columna de gritos golpeados a sus hijos. Los ecos se transmitían a través de las ventanas. Ya la oscuridad era total.

Entonces, la señora K. se quedó en su santuario, su pieza de coser-guardadero. Al prender la luz, vio en los vidrios sin cortinas una réplica de ella misma, un poco inclinada de espaldas, pero sonriente, cosiendo sola, con altos de género crema a los dos lados de la máquina.

Le gustó el brillo de su pelo. Puso despacito la radio Soledad, la única con programas toda la noche sin deserciones. Frunció los labios y comenzó a unir las piezas nuevas a las cortinas viejas, cosiendo vigorosamente con la máquina de pie. Antes se hubiera cansado mucho. Pero ahora, todo su cuerpo despedía un suave vigor húmedo, muy distinto de la resina opaca de sus suspiros de antes. Sintió suavísimamente los muslos de sus piernas frotándose uno contra otro, moviendo el duro pie de la Singer mientras el río de cretona le caía por la falda.

CAPITULO TRECE

AL DÍA SIGUIENTE, la señora K. amaneció dormida sobre la máquina de coser. Los ruidos de la mañana en otras casas sonaban llenos de urgencia. Las cortinas reposaban a su lado, listas. No había tenido tiempo de doblarlas, pero no se había dado cuenta de eso. No le pasaba desde su época de estudiante. Dormirse trabajando. Se puso contenta.

Decidió que ese día iba a romper con la rutina. No comenzó barriendo la sala, corriendo hacia la pared los sillones ni movió la mesa de la sala donde se alineaban los objetos de plaqué, ni juntó la basura en la cocina.

En ese momento sonó el teléfono. Era una señora de los jueves. La señora K. hizo un gesto con el auricular en la mano y miró las cortinas dobladas y listas. Después las botó al suelo. La reunión se había aplazado para el próximo mes. Faltaba tanto para el próximo mes, pensó, ¿por qué faltaría tanto? Era como si todo fuera a ser distinto esta semana. Y todo iba a ser distinto, decidió. Dejó las cortinas arrolladas en el suelo tal como habían caído y fue a la cocina donde se preparó una bandeja de canapés con pedacitos de carne mechada y zanahoria, tal como nada más que a ella le gustaban. Mamucha, pensó, habría arrugado la nariz, pasando a enumerar lo que comían los distintos miembros de su familia, para terminar diciendo que jamás había visto eso de carne mechada al desayuno. Un té muy cargado, una pizca de leche, un poco de manjar blanco apelotonado en una cuchara. Subió lentamente a su dormitorio, mientras escuchaba todavía al empleado bancario con expectativas gritonear a sus niños y ladrar pidiendo cosas antes de irse al trabajo.

Cuando pasaba por el pasillo de arriba, encontró una camisa blanca tirada en el suelo. La levantó: podía ser o no de Mauro, más bien sí por la marca medio inglesa que él exigía en todas. Estaba alba y se agitaba aún con el viento que entraba por la ventana del fondo. La señora K. la recogió y le olió el cuello: sería divertido que fuera la del vecino, pensó. Y se imaginó yendo a devolverla, vestida de lamé dorado, fumando en una boquilla, sosteniéndola con la punta de los dedos.

El ruido del viento cesó. La señora K. se fue a la cama y se desnudó después de dejar la bandeja en la cómoda. Mientras se desvestía, el sol volvía rojas sus cortinas en la mañana. Pero no se acostó, sino que se sentó en el suelo, muy junto a la colcha sin desarmar, que caía en copos tejidos a crochet y se puso a mirarlos uno por uno mientras mordisqueaba el pan con carne.

Estaba empeñada en perder el tiempo. Las blanquísimas borlas se balanceaban a un dedo del suelo.

La señora K. se tendió en el suelo a seguir mirándolas. De pronto, una de las borlas tocó un pecho, la punta de un pecho. Y lo siguió rozando mientras se balanceaba. El pezón comenzó lentamente a levantarse. La señora K. se acercó más a la borla curiosa, y le dio impulso al borde entero: los bolillos blancos en serie toparon sus dos pechos que se fueron hinchando lentamente. Dos aureolas oscuras contenían toda su fuerza creciente, como un cáliz.

La señora K. se levantó y fue a asegurar el pestillo de la puerta. No había para qué, puesto que no había nadie. Abajo sentía quejarse la puerta de la cocina, que había quedado mal cerrada. Pero igual, sentía necesidad de cerrar. Ni siquiera el aire de las otras piezas debería tener acceso a estos descubrimientos, a los lentos y subterráneos florecimientos de su cuerpo demoroso.

La señora K. se subió a la cama.

Se sentó en los inmensos almohadones del respaldo y mirándose los pechos, agachó la cabeza. Se quedó mirando la suave subida hacia la oscuridad de las aureolas que rodeaban los pezones, los granitos pequeñísimos que circundaban esa aureola. Los olió. Luego, lentamente, los dedos comenzaron a rodear la gran superficie redonda y levantada de su pecho, pasando por debajo de las axilas, debajo de ellos, por la zona de las costillas, donde hacían sombra y subiendo por el blanco centro, siempre rodeando los pechos redondos. Ni siquiera cuando había tenido hijos se los había mirado tan detenidamente.

Pasó los dedos por su escote varias veces, en círculo, hasta que la punta de sus pezones se fue poniendo alerta. La señora K. recordó que nunca había usado escote. Los dedos se fueron entibiando y las yemas aminoraban suavemente su avance, detenidas por el agrandamiento de los pechos. La señora K. sintió que sus pechos se enervaban en espera de la caricia; al paso de los dedos indiferentes, los pechos parecían dar vuelta y seguirlos. Miró cómo sus pezones se iban elevando y cambiando de un color carne pálida a un fuerte rosado, de piel también erizada; la hendidura de la punta tendía a abrirse y a brotar algo de ella.

La señora K. se lamió largamente los dedos y llenos de su saliva los deslizó alrededor de los pequeños pezones sin tocarlos; se estrechaba más y más el círculo con las yemas que, a pesar de todo, se mantenían aún fuera de la zona del pezón. La señora K. respiraba agitada, llevando a sus dedos a que tocaran pero todavía no, la punta del pezón enhiesto que ansiaba cada vez más rosado la llegada de la caricia pero el dedo se hacía esperar, no llegaba. La señora K. respiraba con la boca abierta.

El dedo llegó hasta casi el borde donde empezaban las pequeñas granulosidades de la aureola del pezón como presagios de la delicia de la cumbre. Las puntas de sus pechos se estiraban desesperadamente vueltos hacia afuera, pequeños besos besando; pero entonces los dedos comenzaron a alejarse imperceptiblemente, dando vueltas en sentido inverso. Luego hicieron otra vez el mismo recorrido. Sus pezones ya no podían más de expectativa húmeda. La señora K. se movía entera, con los pezones abiertos y girando a la manera de los girasoles a la siga de sus dedos. Estos llegaron esta vez un poco más cerca del pezón y comenzaron su retirada nuevamente.

La señora K. respiraba desbocada y sus narices se dilataban de ansiedad y placer en el calor de la mañana, bajo las cortinas rojas todavía por el sol lento.

Miró la bandeja. Sus dedos se mojaron apenas en el manjar blanco y comenzaron un lento avance en círculo que iban dejando su huella delgada. Dedos y pechos hervían y resbalaban bajo la crema del manjar. Los dedos llegaron hasta la zona rosado oscura de los pezones y comenzaron, casi sin posarse sobre la piel, a rodearlos en círculos cada vez más estrechos, haciendo ya irresistible la ansiedad de los pezones; la señora K. rugía despacio, ahh: los pezones se endurecían hacia arriba, deteniendo el aire de la habitación. Sus dedos los rodearon otra vez y fueron apretándolos, en medio de una indecisión, desde la base. La señora K. mojaba sus labios con la lengua y mantenía la boca levemente abierta, reseca; estaba muy hermosa, con los ojos color de terciopelo; sus cabellos se derramaban por todo su cuello.

Pequeños y súbitos toques en las puntas los abrieron como una flor desatada; la señora K. suspiró con todo el placer pegado al paladar. Los pezones recibían la caricia seca de los pulgares; luego los otros dedos se fueron posando en la punta apenas al tocar, se retiraban en seguida; el extremo de las yemas movía los pezones durísimos y abiertos, a la derecha, a la izquierda, arriba; y luego, más, cada vez más, hasta que bailaron la misma furiosa danza, parados en medio del sudor como un pistilo grueso, ávido, adosándose sin cesar a los dedos como un beso, mientras la señora K. creía que se moría de placer y le bajaban gotas por la espesa mata castaña de pelo.

Casi sin sentir, los dedos fueron disminuyendo sus acercamientos al pezón hasta que éstos bajaron y la señora K. se tendió de boca en la cama. Se le enredaron, todavía palpitantes, entre los huecos del tejido; ella se movió suavemente para libertarlos y meterlos en otros agujeros y desenredarlos y meterlos. Las orejas le ardían. Su cuerpo entero hervía y se repletaba de una campana que latía, densa.

A lo lejos, lejísimos, oyó sonar un teléfono. Se había olvidado de desconectarlo. Pero esta vez no iba a contestar. Se tendió en la cama con las piernas y brazos sudorosos y un dulce sopor la cubrió como una manta. Oyó golpearse el ventanal de abajo y le pareció notar un paso fugaz por el marco de la ventana del descanso, desapareciendo en seguida, como un portazo.

Antes de dormirse, pensó que ninguno de sus dos pechos eran de corcho. Ambos vivían. Casi dormida se sacó de ellos los últimos restos del manjar blanco y se lo llevó a los labios. Estaba salado.

CAPITULO CATORCE

Esa tarde, la señora K. se despertó cuando ya no había sol y empezaba esa oscura claridad de la tarde con su luz engañosa, donde las cosas derramaban un líquido desde su interior que las hacía seductoras. La puerta de su pieza crujía con la indecisión rítmica de las puertas mal cerradas. Se pasó la mano por el pelo. El pestillo estaba descorrido, pero la señora K. recordó su miedo a los ascensores y a los encerrones y sonrió, aliviada. La sombra de la puerta bamboleante movía un ángulo oscuro sobre los muros del pasillo con la luz prendida. Se veía la cumbre desierta de los escalones.

La señora K. pensó en poner la radio pero no lo hizo. En cambio bostezó con la boca abierta y sonrió pensando en su suegra que se tapaba con un pañuelito de encaje con olor a menta.

Se levantó y se puso la misma solera. Había que comprar algo para la comida. Y abrió las cortinas. En la calle de su barrio, dos niños se tiraban piedras, escondido cada uno detrás de un árbol, gritándose.

La señora K. cerró la ventana y se lavó vigorosamente la cara. Desde lejos se oían las bocinas y una manguera regando un jardín sempiterno sonaba sin descanso. Poco después, los vecinos que no tenían nada que hacer, vieron a la señora K. salir con su cartera balanceándola suavemente, no apretada bajo el brazo como iba siempre.

Un hombre la silbó llegando al supermercado. Ella sonrió desde adentro. Sus pechos se levantaban con el aire frío de la tarde y rozaban la tela del vestido. Se acordó del teléfono descolgado y sonrió recordando a Mauro, tamborileando los dedos en la caseta de los teléfonos, con las comisuras hacia abajo.

Tomó un carro y caminó muy lenta por los pasillos, mascando el tiempo. Eligió sólo lo que más le gustaba: un tarro grande de palmitos en conserva, paté de centollas y frambuesas congeladas.

Se encontraba linda en los espejos para pillar ladrones, al fondo de los pasillos abarrotados. Y eso no le había pasado nunca en la vida. ¿Nunca? Hacía tanto tiempo que... Quedó mirándose en el pasillo de las pastas, sonriéndose. Había mucha gente y en la cola para pagar, la señora K. sintió con agrado la cercanía tibia de cinturas y brazos.

Un poco más atrás, vio un hombre parecido a Mauro, de mandíbula antiséptica, que sufría intensamente por estar en medio de la gente y se arreglaba la corbata muchas veces. Cuando la señora K. le dijo que ocupara su lugar porque a ella le gustaba hacer cola, el hombre la miró de reojo y se cambió de caja. La señora K. se rio fuerte y pareció más encantadora que nunca con sus dientes perfectos, humedecidos de una alegría carnicera.

De vuelta en su casa, comió muy despacio, partiendo los palmitos con cuchara y cubriéndolos con paté de centollas. Mojó las frambuesas en la llave; una a una las dejó escurrir hacia adentro, apretándolas sólo cuando ya iban a pasar a la garganta y sintiendo el férreo sabor. Se durmió sin lavar los platos. Ya no gritaban los niños de las piedras y los árboles sostenían a dos manos la oscuridad sin faroles de la calle pequeña.

CAPITULO QUINCE

AL DÍA SIGUIENTE despertó muy temprano: llena de un contento que la hacía canturrear con esa voz pastosa, que tenía olvidada. Silbó mientras barría y limpió los muebles vigorosamente, con quitamanchas; hizo el aseo total de su pieza, limpiando debajo de las camas, dentro de los closets, lustrando los veladores y el estante de los libros, uno a uno.

Trasladó la radio de la sala al dormitorio. Y vio que éste era en realidad muy bello y amplio, como nunca lo había visto. Dejó entrar la luz en pleno. Cuando abrió la ventana, los pájaros se desgañitaban en el vecindario iluminado. Limpió los ventanales hasta que fue imposible pensar en nada triste mirando por ellos. Y se sentó en el alféizar, a mirar las copas de los árboles, que le parecieron más vigorosas que nunca.

Poco a poco, una suave laxitud le fue llegando desde el múltiple tornasol de las hojas que escondía la luz y la volvía sombra en rápidos pestañeos haciendo aparecer los contornos de cosas que las pupilas borraban de golpe.

Casi sin darse cuenta se halló tendida en la gran cama matrimonial. Tiró el cordoncillo de las persianas y quedó en la penumbra, llena de dalias fosforescentes del mediodía. Algo como una somnolencia la amarraba a la realidad.

Acostada, se movió levemente. Y todo su cuerpo se movió con ella, como un solo ser, que fue despertando lenta desde su vientre. La señora K. se desnudó bajándose el cierre de su vestido con mano lenta, como quejosa.

Y entonces, recorrió su cuerpo viviente con las palmas suaves y potentes.

Esta vez lo encontró dispuesto para el placer: los talones, antebrazos, el vientre, todo se hallaba erizado, lleno de poros, con las bocas abiertas para recibir las sensaciones, todas sus papilas abiertas a un grueso y potente aceite. Caderas y pechos comenzaron a impacientársele con un dulce movimiento desconocido, lleno de luz y médula.

La señora K. quería entrar en el centro de su luz y se la buscaba con las dos manos demorándose: intuía el recorrido hasta su propia nuez. Las manos bajaron por la cintura, se detuvieron en el comienzo de los muslos.

Los dedos de la señora K. comenzaron a deslizarse sin peso por el comienzo del pubis y siguieron la línea del muslo hacia el centro de sus piernas, siguiendo el triángulo oscuro. Ahí se detuvieron en la parte más carnosa del muslo, esa que a la señora K. le habría gustado tener lisa como la tenían las modelos cuando se paseaban, famélicas, en trajes de baño esplendorosos. Pero ahora no; le gustó tenerlos así, gruesos, algo sobresalientes como pequeños pechos: dos promontorios dulces que se friccionaban, sudorosos, resbalándose en los días de calor cuando caminaba por las calles céntricas y se afanaba con las bolsas de verduras. Sí; le gustaban. Los friccionó demorosamente uno contra otro, y sus muslos se despertaron, entibiándose y sudando un poco.

Entre la maraña tímida y oscura de sus pelos, la señora K. empezó a vislumbrar los dos labios carnosos llenos de una saliva más gruesa. Siguió el recorrido y se encontró con una hendidura profunda al centro de sus labios, un desfiladero, pensó la señora K. tocándose: una hendidura para partirla por su centro de gravedad, como quien parte un durazno.

Sacó los dedos de allí y se llevó las manos hacia atrás. Ah, qué tristeza, ahí estaban las nalgas, las grandes nalgas suyas que caían cuando la señora K. permanecía de pie en oficinas públicas y privadas esperando pagar la cuota del televisor o en la cola para el préstamo, humillada como todos los ciudadanos que van a pagar culpas o cuentas.

Pero ahora la señora K. se hallaba vuelta boca abajo sobre su gran cama en la soledad del crochet blanco y las nalgas subían casi duras, casi adolescentes, respingadas, borboteando de vida hacia el resplandor dorado de la tarde de otoño con la calidez del fruto perfecto.

Muy suavemente, los dedos de la señora K. se tocaron las nalgas animándolas, con pequeños toques, a quedarse así, burlonas, graciosas, como dos pequeños paquetes nerviosos en lo alto del muslo. La masa de las nalgas se movía algo líquida e impredecible bajo sus palmas que presionaban hacia el centro y después, abrían, presionaban y abrían. Se fueron humedeciendo en la línea del centro y sonaban con un leve chasquido mojado que excitaba más y más a la señora K. Se lamió un dedo y lo puso en la larga hendidura abierta y empapada que llenó el dedo de un líquido transparente y de olor algo ácido. Entonces, cada vez más ansiosa por encontrarse el centro de su sentir, la señora K. se volvió de espaldas.

Sus dedos volvieron a los labios mayores que se hallaban anhelantes. Comenzó a rodear con saliva, poco a poco, el óvalo ya humedecido donde se juntaban las dos carnosidades y fue posándolos suavísimamente sobre la lengua pequeña y ondulada de su clítoris, hundiéndose un poco los labios para sacarla al aire, haciendo que éste se levantara de su quiste de silencio y plegamientos ciegos, renunciaciones a luz apagada y buscara, decidido, en la luz, los dedos.

Su músculo mojado, y medio por salirse de los labios se encontró en medio de las antenas de su placer.

El clítoris se fue hinchando y asomándose duro, carnoso y temblando como un ser nacido recién entre los dedos.

Tendida en la colcha de toda su vida, la señora K. abrió y cerró las piernas moviendo los dedos desde los labios al clítoris, deteniéndose apenas en éste, pasándolo levísimamente a llevar, con una aceleración que semejaba una ola. La señora K. sintió que su cuerpo entero era un nudo entrelazado, con una gota de paroxismo erguida en el nervio pequeño y potente del centro; las piernas se le trenzaban para aprisionar el placer y exprimirlo hasta la muerte; siguió en redondo con los dedos muy suaves, tentando los alrededores y posándose en el justo centro, casi sin tocarlo: su clítoris, crecido, saliente, clamaba florecido furiosamente.

Dulce, puso una yema de su dedo mojado en el corazón de su músculo rosado y tembloroso; quieto un momento, éste empezó a moverse, a presionar en redondo, muy muy despacio, hundiéndose apenas en la hendidura ovalada y húmeda de la que brotaban ramas de un anuncio sedoso y denso. Sus muslos se abrían inmensos y luego se cerraban en un acopio secreto; el dedo insistía en tocar apenas en redondo, el centro del músculo exasperado.

La señora K. sintió que un pesado pez de bronce trepidante avanzaba en una electricidad por su cuerpo hecho de carne y se alojaba entre sus muslos. Todo su cuerpo se reconcentraba en la pequeña lengua hirviendo. Sus huesos iban derecho a verterse allí, sus sombras, las siluetas, los ademanes de toda la vida.

La señora K. sintió que su cuerpo se retorcía en la colcha matrimonial, lleno de un motor en marcha creciente, poderoso, que la empujaba hacia el centro del ser. Sus muslos se le juntaban cada vez con mayor fuerza. Separó las piernas con dificultad, el dedo aleteó sobre su clítoris enervado y rugiente; la señora K. juntó las piernas como un tirabuzón indiscernible y su cuerpo su bello cuerpo redondo, único e inseparable, se sacudió de placer sobre la cama como un gran pez nadando en medio del tejido, hincando los dientes en la almohada, en sus brazos, en sus hombros. La boca se le abría, reseca de la misma ansia del clítoris hambriento, mientras su pelvis seguía con una danza circular sobre el edredón, con espasmos de colina, hasta que su cuerpo quedó quieto en un momento máximo apretando hasta el infinito la semilla de su cumbre.

Y la señora K. supo en ese instante que su pesado e indeciso ser de corcho había emergido a otra superficie de alma vibrante.

CAPITULO DIECISEIS

EN ESE MOMENTO le pareció oír un golpe en la puerta de entrada. Su quedó quieta y puso atención, jadeando humedecida como si viniera despertando de un ancestro ignorado. Sentía un pesado lastre de dolor metálico entre los muslos, como un golpe que cayera boca abajo. Se demoró en vestirse y bajó las escaleras abotonándose la falda y sin zapatos. La señora K. sentía sus muslos evadirse en un líquido grueso y potente mientras caminaba. Sus pechos se hallaban de nuevo en punta, como dos pequeños malos pensamientos.

Primero pensó en no moverse de la cama, como lo había hecho con su suegra, pero algo en el silencio de la casa la obligó a levantarse. Parecía como si realmente fuera llegando alguien a un lugar donde no hubiera absolutamente nadie.

Oyó blandos golpes interrogantes, que se anidaban uno a uno en la puerta como si alguien pasara la palma por ella.

–Quién es –dijo desde el fondo del pasillo, encaminándose a la puerta.

La señora K. no oyó contestación. En ese momento se oyó el portazo de la puerta que daba al patio de adentro, que había tomado vuelo.

–No es nadie y yo tonteando aquí –dijo fuerte la señora K., pero volvió a oír los suaves chasquidos indecisos en la puerta. Como de alguien muy liviano.

El frutero de la esquina y su cuñado, vendedor de alarmas para ventanas, la habían aleccionado sobre los distintos tipos de delincuentes, que entraban haciéndose pasar por miembros de la Iglesia de los Ultimos Días o falsos mormones. Que por ningún motivo abriera, al frutero le habían robado tres bicicletas y un cajón de uvas de exportación y quién sabe qué le hubieran hecho a su hija si no presiona la alarma.

Mauro sostenía que todo el mundo debiera identificarse antes de penetrar en una propiedad privada y dar nombre, firma, número de teléfono verificable, todo debiera ser verificable, decía Mauro. Y el frutero se había llevado a su hija para Chillán porque decía que ya tenía bastante con cuidar las paltas y chirimoyas. Mauro había terminado comprando una alarma para la puerta del garaje, con gran contento del cuñado del frutero.

Pero no todo era verificable, pensó la señora K. Y se acordó de los pequeños asomos, siluetas imprecisas, presencias apenas pisando sobre los talones, anegando su casa, sobre el vecindario, en forma amable, que hacían menos terribles algunos silencios.

Y puso la oreja pegada a la hoja tibia de la madera, con verdadera curiosidad. Se oían pasos minimizados, como los que quedan en un lugar después que los moradores han salido.

–Quién es –repitió.

Entonces miró a sus pies y vio la hoja blanca doblada. Antes de agacharse supo que era el telegrama de Mauro. E incluso pareció llegar la voz de Mauro, sin sonrisa, cortante como un filo que estuviera a punto de mellarse:

"Vuelta pospuesta dos días Mauro".

Incluso le pareció que Mauro realmente hablaba así, pelando sus palabras y agitando los huesos terribles de las cosas. Pero había sido invadida por la dulce sensación de que esperaba alguien detrás de los chasquidos minúsculos del otro lado de la puerta, alguien sin peso, de sonrisa leve, que estuviera mirándola. Sumergida en un sudor incierto, la señora K. abrió la puerta.

No vio a nadie. Una ráfaga de viento entró desfachatada, empujando la puerta de par en par y haciendo perder el equilibrio al gomero del fondo.

La señora K. sonrió. Le parecía que con sólo abrir ya había dejado entrar a alguien; lo peor es que no llegue nadie, se acordó de su tía del campo.

Subió con intención de prender la luz en la pieza de coser, pero se sentía extraña y dulcemente alerta. Los pezones bajo su blusa se irguieron aún más. Estaba ordenando los frascos de loción de Mauro y pensó con una sonrisa que le quedaban dos días más.

Y se sintió ella misma como una casa amplia con las puertas y las ventanas abiertas, recibiendo la brisa de la tarde con delicia.

De pronto oyó la puerta de entrada golpearse contra el marco en la forma machacona en que la golpeaban las corrientes de aire.

Buscó los zapatos aceleradamente. Y pensó que

estaba segura de haberla cerrado. Pero no era verificable, sonrió, mientras bajaba, un poco más derecha.

La puerta se golpeaba repetidamente con los vaivenes del aire. La señora K. salió al antejardín y miró. No había nadie. La manguera estaba enrollada como si no se hubiera regado. Sin embargo, recordó ella, alzando las cejas, ella la había usado en la mañana, ¿o la tarde anterior? y no la dejó ordenada.

Cercada por una serie de pequeñas interrogantes que se agrupaban entre sus ojos, sin demasiada necesidad de respuesta, entró, cerrando la puerta tras sí. "Estoy cerrando la puerta", se dijo con una sonrisa graciosa, sintiendo su cuerpo a través de la ropa, como un segundo paso de ella misma.

Sólo cuando pasaba frente al ventanal, vio al muchacho. Estaba con todo el dorado de la tarde sobre el rostro y escribía algo en una hoja blanca en la mesa del comedor. La señora K. le miró los hombros: eran los mismos de la vaga silueta que parecía a veces cruzarse con ella, en el tráfago del quehacer y que se perdía detrás de los goznes de una puerta.

No pareció alterado cuando vio a la señora K. Le sonrió con rayitas de pregunta en su boca de muchacho que parecía grande dentro de la cara delgada.

Ella leyó la hoja: "Firmar el recibo", junto a una lista llena de casilleros ya firmados.

—Ah, el telegrama —dijo la señora K.

Pensó que no tenía lápiz. Ya lo iba a buscar cuando de pronto cambió de idea y se quedó mirándolo.

CAPITULO DIECISIETE

SE ENCONTRÓ FRENTE a un muchacho algo delgado pero fuerte como un mimbre joven. No era demasiado alto ni sus espaldas demasiado anchas, lo que lo hacía más alto. Una increíble belleza bajaba de sus ojos casi ocultos por los mechones que asomaban de una especie de gorra sucia. Su piel tenía la exquisita suavidad del cuero suavísimo de los potrillos recién nacidos y derramaba una gracia de olivo por todo el recinto.

La señora K. le miró los hombros suaves como visón. De su boca escapaba un aire de cachorro de ojos nuevos y era esa sensación la que recordaba ella de las veces en que había creído encontrarse con alguien pasando fugazmente por el jardín, o por el patio, en las faenas de tendido. Parecía pasear una curiosidad pequeña de narices nacidas hace poco por toda la sala.

La señora K. se quedó mirándolo sin pensar en nada hasta que el muchacho pareció bajar la vista en la penumbra y ella también fue bajándola. Unas manos grandes, un poco más morenas que el resto de él, se movían nerviosas, arrugando la hoja blanca.

La señora K. se sentía ingrávida, como sin timón, y al mismo tiempo con una líquida seguridad de haber encontrado el eje de su propio cuerpo. Todo se hacía remoto. Oía muy lejos los ruidos del ventanal de la sala, y lejísimos, las puertas del pasillo de arriba, como si los dormitorios estuvieran en un cuarto o quinto piso. No le disgustaban las cosas sin explicación, pero golpeó el suelo con el talón para pisar en esta realidad. Y después pensó que todo su cuerpo se había preparado para que alguien apareciera por la puerta de entrada.

La señora K. no miró el telegrama. Sus ojos se detuvieron sobre los botones viejos del muchacho y después bajaron hacia las altas rodillas de un puño desnudo, asomadas por la rotura del bluejean; sus piernas se movían como álamos lejanos cimbreantes en su vacilación sin postura. Piernas de irse caminando, pensó la señora K., que fue subiendo la mirada demorosa por los muslos tensos entreviéndolos a través de la tela azul domesticada, hasta apegarse a ellos como agua. La misma soleada piel sin mancha aparecía en una suavidad morena de uva a punto, en sus brazos morenos y los tiernos hombros.

Ella sintió humedecerse más aún sus propios muslos y retozó en silencio dentro del líquido levemente almidonado que le brotaba de los labios entreabiertos en la oscura penumbra de su calzón.

El muchacho la miró entonces, con la cabeza ladeada. Como si fuera a preguntarle algo, pero no le dijo nada. De sus cejas salía una tranquilidad propia, que se evadía hacia una zona borrosa, pero intensa como el calor del sol. Sus ojos fueron recorriendo a la señora K., lentos, un poco expectantes, desde las orejas, en todos sus laberintos.

Y mientras la miraba, el muchacho parecía llegar definitivamente a la realidad, aposentarse definitivo en la sala, en su presencia joven, de pelo revuelto y sonriente.

La señora K. pensó que ahora era cuando debía preguntarle cómo había entrado si la puerta estaba cerrada. Pero no lo hizo. No supo por qué y tembló. Entrecerró leves los ojos y le miró la gruesa boca adolescente, a medio camino entre la melancolía y la fuerza.

–Ah –se dijo la señora K. deslizándose en el calor de su deseo.

El labio superior del muchacho, más nítido ahora, temblaba con tres pequeñas gotas de sudor. Entonces, ella se acercó un poco, maravillada por el olor humeante, ávido, y la suave ternura de sus hombros.

–El lápiz. Voy a buscarlo. Pasa –dijo la señora K. El muchacho retrocedió levemente cuando la señora K. lo quiso tomar de la mano como hacía con los niños reticentes; pero al cabo de un momento él cerró sus dedos calientes sobre la mano de la señora K. y la sombra en que había permanecido su silueta imprecisa pareció alumbrarse por completo.

Desaparecieron escaleras arriba. El viento también cesó.

CAPITULO DIECIOCHO

Caminaron los dos como ciegos por el pasillo que llevaba al segundo piso. Entonces, la señora K. se dio cuenta de que todavía llevaba la mano extendida, como si lo llevara de la mano. Enrojeció violentamente. El muchacho parecía moverse con seguridad de haber pasado muchas veces por ese corredor. Pero tampoco la señora K. se atrevió a preguntarle nada. Estaban a la entrada del dormitorio y él se entrecortaba en una indecisión de pasos retrocedientes. Esto enterneció a la señora K. y se acercó a él. Quiso decirle algo, pero su voz navegaba oculta en una intensidad de lino que no se dejaba oír.

La señora K. abrió todas las puertas del piso de arriba. En esos días, la casa se había transformado en su lugar exclusivo donde rodaban, gruesas, resonantes, sus propias sensaciones y olores profundos.

El muchacho había entrado en aquel húmedo recinto de su vivienda, con todos sus músculos vibrando, él entero, como un proyectil lleno de tendones, fuerza y nervios contra la pulpa que era ella misma. La señora K. se mojó los labios con la lengua. Los muslos se le resbalaban a cada paso. El se quedó de pie apoyado en la baranda, junto al baúl donde se guardaban las guías de teléfono atrasadas. Miró a la señora K. y sus labios se abrieron un poco. Ella se detuvo.

–Señora –pareció susurrar la boca del muchacho formando la palabra, expectante, con los ojos llenos de rayitas amarillas, mirándola sin un solo pestañeo. Pero no sonó ninguna palabra y se quedó parado, sin atreverse a entrar en la oscuridad de las cortinas que encendía el corazón.

La señora K. dejó caer el telegrama al suelo. Y no lo recogió pese a su inveterada costumbre de andar recogiendo cenizas y cáscaras. Aquella tarde todo tenía otra forma. Se acercó hasta quedar tan cerca del muchacho que las puntas de sus pezones ya alcanzaban el calor lleno de tendones de él.

La señora K. bajó las manos hasta las caderas del muchacho. Vio que éste se llevaba las manos al botón del pantalón con manos en sombra, ansiosas. Pero ella dijo: "No, todavía no", con una voz que se desconoció: segura, como un timón en medio de toda la turbulencia y la vaguedad de la penumbra.

Pareció que el muchacho se apegaba y ella sintió con delicia que estaba temblando. Ni siquiera lo veía bien. Le puso las manos en los hombros, los sintió tan livianos, y las fue bajando hacia las caderas espigadas que vibraban junto a su vientre.

La señora K. volvió a correr las cortinas con la mirada; allí mismo sintió unas manos de muchacho que le querían desabotonar el resto de los botones de la blusa, demorándose en cada uno, como si fuera distinto. Se abandonó con delicia, sintiendo la torpeza con los ojales. Sintió caer su blusa al suelo, deshaciéndose en la oscuridad. Entonces las manos desaparecieron en la ansiedad de desabrocharle el sostén, sin conseguirlo. Hasta que le levantaron la prenda, tirando del elástico. Los pechos de la señora K. aparecieron vibrantes, con los pezones duros y largos, muy rosados. No se veían los rostros, pero la señora K. sintió la mirada de él, lanzada como una larga lengua. Luego la cara del muchacho comenzó a pasar por el pecho: los pezones rebotaban contra sus huesos de adolescente. La señora K. cerró los ojos, entreabrió la boca hasta que se le vieron los filos de los pequeños dientes, roncos, cálidos. El volumen de los gruesos labios del muchacho rodaban en círculo alrededor del pezón. Y oía una respiración entrecortada, llenándosele los pechos de una saliva que se enfriaba al aire de la tarde. Ella sentía los pelos de la coronilla cosquillearle en la palma.

Sintió que los dedos llegaban a su falda y se afanaban con los botones hasta desesperarse en un tironeo que los hizo saltar. La falda cayó al suelo; sintió que la misma ansiedad rasgaba sus calzones, que caían al suelo casi sin tocar sus muslos. Con una ternura que no parecía de la tierra, el sostén salió por arriba de los brazos, la señora K. sentía besos pequeños llenándole las axilas y sus propias manos temblando, desabotonando prendas, demorándose, haciendo saltar lazos reticentes.

Con los rasgos oscuros por la contraluz, la silueta del muchacho se levantó sombría en la suave piel de la penumbra. Cayeron a la alfombra oliéndose furiosamente, mordisqueándose, reconociéndose como ciegos anudados, llenos de estremecimientos que parecían ojos. Todos sus nervios se incorporaban en un nudo de calor entreverado.

La alfombra se extendía incógnita bajo la piel. La señora K. sintió que ella se abría lentamente, como un muelle caudaloso. Cruzaba sus piernas y las descruzaba sin fin. Sintió que se sentaba en la piel lisa de un vientre joven y comenzó a moverse en redondo, llenándose de líquidos que la resbalaban sin descanso. Sintió una lengua, un pequeño dedo enloquecido en la humedad que tocaba sin cesar su clítoris. La señora K. creyó enloquecer. De pronto detuvo a la figura del muchacho que parecía deshacerse en la pasión y lo tendió suavemente en la alfombra. Sintió como unos ojos se cerraban, pero tanteando los abrió suavemente:

–No –le dijo–. No los cierres.

Se fue sentando sobre los comienzos de los muslos, que tiritaban en una interna marcha inmóvil, hasta apresar el pene, medio ausente por la oscuridad. A ciegas, lo tomó con las dos manos y lo acarició, moviéndolo suavemente en redondo, oteando las demás formas que se opacaban. En sus palmas sintió armonioso el peso curvo de un tejido tenso como de red repleta que convergía entre las piernas del muchacho. Lo acarició casi sin tocarlo. Luego levantó la pluma de sus caderas afiebradas, su breve cintura parecía esfumarse, acercó su boca a la pelvis ardiente y comenzó a chupar, con una pasión inflamada de un desgano incandescente, dejando pasar el solo amor reseco, sin saliva, sin sonido.

Sintió unos aullidos silentes que venían de la alfombra. Las uñas se hincaban en el intrincado dibujo. Las manos de la señora K. rodeaban las pequeñas nalgas mojadas en la saliva espesísima del amor, sin dejar, sin dejar de chupar. Parecían salir roncos fragores sin palabras de una garganta en sombras. La señora K. sintió que alguien intentaba remontarse sobre sus caderas untadas de un aceite inextinguible. Pero con su bella boca mordida de color fuego. dijo:

–Todavía no. No estoy lista –con una voz que llenaba la habitación y el mundo de ahí en adelante.

Medio a horcajadas sobre la silueta del adolescente, lo sentía como un tallo erecto, férreo, con una punta de lágrima transparente de ansiedad. Buscaba las piernas de la señora K. como un flujo indestructible. Pero ella sentía que sus piernas se abrirían lentas, con el deseo escalando por tobillos y talones. Puso las manos oprimiendo su pelvis. Los labios absortos resbalaban entre músculos enardecidamente holgados. Se presentía en la sombra la imagen del muchacho, tratando de alejarle las manos. Entonces, la señora K. lo miró, inmovilizándolo.

CAPITULO DIECINUEVE

–CONMIGO TIENES QUE ESPERAR. Tienes que esperar–
susurró. Levemente, la señora K. fue bajando con las
piernas abiertas hasta que sintió la punta erecta penetrar suavemente en su clítoris, besarlo, bajando
muy suave hacia el centro de la tierra, sin hundirlo
más, hasta pender sobre ellos una espera insoporta-
ble. La silueta oscura parecía rogar en sombras, desde el suelo, donde navegaba en su propio sudor
mientras la señora K. cabalgaba imperceptiblemente
sobre las breves caderas oscurecidas. Sintió que la
punta se preparaba para penetrarla.

–No –mandó la señora K., firme-. Todavía no–
dijo en voz baja.

Y tomando una mano joven, que adivinaba en la
sombra, le abrió los dedos y pasó la palma morena y
enfebrecida por los pezones que se estremecieron.

–No tan fuerte –dijo la señora K. Lamió la palma.
Los pezones se deslizaban al contacto estremecedor
de la palma mojada en la saliva agridulce. Sintió que
el muchacho tenía la bella mirada de la arena turbu-

lenta y sus hombros se movían insaciables en la ceguera de la noche buscando a la señora K.

–¿Ahora? –Le pareció a la señora K. que sentía una voz pequeñísima, casi inaudible, de un gemido abierto.

De pronto, la señora K. dejó de ondular y miró hacia la silueta de la alfombra. Dijo:

–Ahora.

Su propio cuerpo se hundió con violencia feroz en el pene vibrante atravesándose, frenética, poderosa, hasta que fue bajando nuevamente el pez de bronce que se agitaba en el centro mismo de su ser. Sintió que se movía junto a otro ser a un mismo compás, unísono, cada vez más profundo...

Sintió que se contorsionaba en el centro de una tormenta sin timón, hundiéndose en el mástil oscuro de la silueta agazapada de la alfombra, hundiéndose hasta los dientes, los labios, las cuerdas vocales rotas en el orgasmo rugiente, donde era la cavidad de otro, sus dos mitades palpitando hasta juntarse en el delirio.

Poco a poco fueron aminorándose los corvados arcos de su encono y se posaron como tallos moribundos, sobre la alfombra tibia, de una oscuridad cerrada. Las caderas acallaron sus ondulaciones y el contacto comenzó a desaparecer como el agua que se retira de la playa mojada.

Se durmió durante un tiempo que le pareció inconmensurable; el calor de sus ojos se encerró en sus párpados cerrados. Lentamente sus palmas y muslos candentes fueron aquietándose y se apegaron como cachorros amodorrados. De la boca se le escapaban suspiros de placer soñoliento.

Sintió que la presencia del muchacho se dormía como una paloma sobre sus pechos, que latían con un contento pausado y anchísimo. Mientras acunaba la oscuridad con sus brazos, sintió que ella volvía a ser la señora K. pero distinta. Se olió por vez primera el olor del amor satisfecho que escapaba de su cuello y de sus piernas.

Se dio cuenta también de que estaba llorando. Una plenitud como la luz de una tarde única, le bajaba por los miembros preñados de densa paz.

Sintió que el muchacho se ponía de pie, sin dejar de contemplarla desde sus cejas adelgazadas por la seda nocturna.

–¿Puedo volver? –sintió que iba a preguntar. Ella se le adelantó mojándolo con su sonrisa, mientras comenzaba a bajar las escaleras:

–No. No puedes –dijo.

Entonces ella supo que el muchacho iba a llorar. Casi sin notarse su densa silueta cargada de sudor comenzó a salir de la oscuridad, iluminada por la luz de lágrimas que se tragaban. Llevaba puesta la misma ropa vieja.

–Por favor –sintió la señora K. una voz indefensa a sus espaldas.

Y abrió la puerta. El aire frío y oscuro se infiltraba en un aullido delgado, empujándola.

–No –dijo. La puerta se abrió aún más. Sintió pasar junto a sí una brisa suave, como el pelo del muchacho, que ponía el pie en la puerta y parecía mirarla como un niño.

–No –volvió a repetir temblando la señora K. Empujó la puerta hacia el marco, mientras sentía el calor de una mano suavísima que se iba alejando de ella pegajosa, desesperada. Cerró.

Y se quedó de pie, con la mano abierta, guardando la forma de la mano que acababa de borrarse, mientras le subía desde la tierra una certeza carnosa, fuerte como un clavel, en medio de la noche.

Supo que ahora sí estaba sola en casa.

La noche enmudeció a los álamos de toda la cuadra. Las hojas de otoño habían detenido su caída en el aire suspenso como una harina, y el mundo se detenía de vacilación, densa como un aceite de eternidad.

La señora K. puso el pestillo.

CAPITULO VEINTE

Después que cerró la puerta, la señora K. se pasó la mano por el cuello y los hombros, amasándola hasta formar una bolita con el olor del muchacho. Ya la iba a guardar en el escote, pero se le deshizo en el aire, como un anillo de aire penetrante.

Y le bajaron dos certezas profundas, como guirnaldas aposentándosele en la sien:

Que guardaría para siempre floreciendo entre sus oídos ese "Por favor" del muchacho.

Y que se había demorado siete días en saber que ella no era de corcho.

Entonces oyó la música creciente de la radio, que aún no se había apagado: bajaba por las cortinas y por sus cabellos ahuecándola, poderosa, un agua entre sus piernas.

Junto a sus pies desnudos, desaparecían todos los pequeños crujidos de pasos sin origen apoyados en las baldosas, que habían repletado su casa. Su silueta definida se erguía en el calor de la noche, floreciendo bruscamente en medio del eco alfombrado de la escalera.

107

Sacándose lentamente la bata de casa, la señora K. circuló por la alfombra, con la música vibrándole en las plantas, pequeños martillos tocándole suavemente los muslos empapados. Sus caderas navegaban sobre la colina de los compases, ondulando dúctiles, haciendo a un lado el silencio y el ahogo.

Pasó frente al espejo de los paraguas. Bailaba. Bailaba. Con el ritmo subiéndole como una raíz recién despierta en el centro de la cercanía de su vientre y de sus muslos, la música le caía por los talones. Sus pequeños dientes de señora bien educada se entreabrieron en una sonrisa de carne y terciopelo. Bailaba al fin, en la otra orilla del mundo al que ella miraba antes, desde el comedor de las fiestas, aferrada a su cartera.

De pronto, el timbre sonó dos veces perentorias.

Arropándose, con los ojales de la bata en una mueca mal abrochada y las manos sobre la garganta, la señora K. abrió la puerta, apresurada a la orden de los timbrazos. Se halló frente a una bicicleta con el manubrio envuelto en cordones y a un hombre viejo detrás, buscando dentro de un bolsón de color indefinible. Su piel le quedaba grande, tristes bolsas bajo los bolsillos y articulaciones lechosas.

Al fin sacó un lápiz sin tapa.

—No abrían nunca —gruño—. Firme aquí. Son doscientos pesos. —Y le pasó la hoja encintada de blanco, mientras le presentaba un cuaderno de grandes casilleros, con una equis en uno de ellos.

La señora K. no tomó el telegrama. Sus ojos, con las pupilas desatadas, se llenaban de la calva clara del hombre. Le vio también la cara de cuero oscuro, no protegida por la visera pequeña de la gorra. Casi no se movía. Tiranizada por la sorpresa, miraba sin fin al cartero afirmado en su bicicleta malhumorada.

–¿Va a firmar? Son doscientos –masculló, tendiéndoselo.

La señora K. tanteó en el cajoncito del mueble de la entrada, sin dejar de mirar al hombre viejo, que cambiaba de pie de apoyo, golpeando el pavimento con la punta de sus zapatos anónimos. Se impacientaba.

Ella escribió su nombre en una vacilante letra de niña, sin poder quitarle los ojos de la cara.

Echando las dos monedas dentro de una chauchera conmovedora, el cartero se alejó pedaleando en un rezongo lustroso como los codos de su uniforme.

Con un pie en la puerta de entrada, la señora K. leyó, con la vista galopando en la certeza, el telegrama que relucía su blanco en el silencio nocturno:

"Vuelta pospuesta dos días Mauro".

Entonces entró, cerrando con celeridad. Se quedó un momento sumergida en el estupor del hall ensombrecido. Luego subió de dos en dos los escalones con la mente adelantándosele y haciéndola tropezar mientras corría. Jadeando, llegó al baño.

Allí, la otra puerta, ovalada, del armario, se balanceaba como una respiración.

Prendió las dos luces. No había nada dentro, ni siquiera los colgadores.

Una segunda sonrisa muy tierna fue despejándole entonces las cejas a la señora K., amaneciendo entre los dientes de su bella boca plena. Se pasó la mano por el pelo y el rubor se apagó como dormido, en medio de su pecho. No buscaría jamás el primer telegrama, ni siquiera en la tinaja de las cosas perdidas, a la entrada de la casa.

Tomando el acostumbrado pedazo de cartón, sujetó la puerta y el espejo le lanzó su imagen como un beso.

Salió del baño y abrió la puerta del closet, con la acumulación de sábanas impertérritas, ordenadas a la derecha.

En el colgador, se silenciaban las chaquetas de Mauro. La señora K. tomó una y la descolgó. Luego se amarró los brazos de casimir a la cintura. Con las solapas en la mejilla, hundiéndose en el olor, comenzó a moverse en cada nota lenta, con fruición no domesticada. Los brazos de tela la acunaron desde los hombros, en la delicia de una íntima agua segura.

Y se puso a cantar.

Cuentos Afines

LAVAZA

LA NIÑA ESTABA llena de almidón con una cinta de raso celeste en la cabeza, que le peinaba los pensamientos en caligrafía, cuidado con los márgenes. Con las rodillas recién refregadas, llegó al patio moviéndose alrededor de un ala de su vestido, recién planchado por el revés, con todas las de la ley.

Con la punta de sus zapatos, la niña cavó levemente en el barro húmedo de la tierra regada hacía poco. Cavó con más interés, entre dos pastelones de hormigón, por donde se asomaban las colas rosadas de unos tallos de flores marchitas.

Pero desde arriba, desde el altar de la ventana donde se alineaban las ollas con lavaza, sobre los pelos de su coronilla le llegó la voz, llena de lunares:

—Espera ahí, quieta, ¿quieres? No te vayas a andar arrugando. No te pongas a dar vuelta arrastrando los pies. No caves entre los pastelones con la punta de los zapatos nuevos. No te vayas a ensuciar el borde del vestido, hay que lavarlo después y se le sale el almidón, ¿crees que no cuesta trabajo?, no te sientes, tienes calzones nuevos. Ah, y no te tironees los calcetines con una mano. Eso es de pobres.

La pileta del patio estaba sin esos peces rojos que habían tenido grandes ojos sin titubeos en la época en que alguien les daba cuerda a las cosas y éstas marchaban bien. Ahora, el agua verde, abandonada, se mecía en una mirada sorda. En el centro del patio, el manzano botó una hoja que era un gemido. Ni siquiera las gallinas se movían.

—Espera aquí, tranquilita, ¿oíste? Tenemos que salir luego y tengo que lavar a los otros. No hay tiempo ni de respirar. Sobre todo, no te vayas a ensuciar los zapatos. Son de charol del bueno. Tuve que echarles unos escupos para limpiarlos, porque ahora ni siquiera hay vaselina —dijo la mano con venas latiendo, que bajaron hasta la rodilla de la niña y le sacaron una mancha chica con la uña, subiéndole por última vez los calcetines.

El apuro quedó tirado en el patio. Sobre las baldosas chirriaban granos de trigo.

La niña se mira y los ojos alisan el vestido hacia abajo, que no sea repolludo, no le gusta mucho, las pestañas tiesas por el almidón. De la punta de los zapatos de charol crujieron los tobillos enmarcados en calcetines blanquísimos y un sonido de papel de regalo pareció desprenderse de toda ella. La blusa de la pechera redonda con cinta de terciopelo. Los botones marchaban en una larga fila hacia los infiernos, ornando el borde de la costura. Las pinzas y los fruncidos del género se respingan en su cintura apretadita, se fruncen por todo su cuerpo de niña bien vestida y un chaleco de hilo, por si refresca en la tarde.

La niña se enciende y se aquieta. No podrá ni siquiera darse la rueda. O saltar al cordel, porque el lazo de la cintura doma todas las ideas locas y le aprieta el ombligo y los calzones son un poco anchos y se bajan con los saltos.

La niña se levanta con dificultad, camina con pasito de muñeca nueva, es lo de los calzones, cuidadosa, cui-da-do-sa. Avanzó hacia el manzano y le tiró una pequeña piedra a las raíces.

–Por no dar manzanas rojas –le dijo.

De sus manos gorditas y enredadas salía el encaje blanco del borde del vestido.

–Ojalá se apuren –piensa la niña–. Ojalá pueda esperar sin moverme ni respirar, como quieren allá adentro.

No sabe para qué la pasarán a buscar ni dónde la llevarán. Siempre es así, pero ahora el no saber es más largo que de costumbre. Más tieso. A la niña le gustaría conocer un atajo para el tiempo. Han demorado horas, ella de pie en un piso de paja en la pieza de costura, le planchaban el vestido, no te muevas, que tiene alfileres, no te muevas, mira que es mucho sacrificio tener cinco hijos, todos ensuciando ropa.

–Si te vienen ganas de sentarte, pon un diario sin mucha tinta, de los que hay en la bodega, al lado del gallinero.

La niña mira el largo, largo escalón que conduce al subterráneo, de donde vienen los resfríos y las cosas de las que no se puede hablar. Como de lo que le pasó a la cuñada de la cocinera, que se tiró desnuda por las rocas de Quintero con un papelito apretado en la mano para siempre.

No sabe cuáles son las noticias sin mucha tinta. Tendrá que estar de pie hasta que la vengan a buscar y a ponerle el abrigo de las visitas. El almidón de su vestido se ha comenzado a resquebrajar, como todas las cosas absolutas: explota en millones de ayes minúsculos. Las gallinas picotean sandía, rítmicas con la cabeza en veloces líneas rectas como guiones. La niña piensa que un día se sentará justo como no debe, con las piernas abiertas, a comer sandía en medio del patio, una sandía para ella sola sin servilleta.

De pronto, desde el subterráneo aparece el encerador, que además lava ventanas por fuera y limpia chimeneas por dentro. Es un hombre de cara grande y la niña lo mira y le gusta la cara, de ojos negros como volantines, inmensos, medio riéndose y orejas en punta. Dos manos tan grandes como la caja que trae. La niña se acerca chupándose el dedo por el camino de grava y el encerador, que además es jardinero artístico cuando empieza el verano y roba gomeros para enterar los días imposibles, la mira y le mira después las rodillas carnosas como pequeñas caras de color rosado y se las toca con la palma áspera, sonriéndole. A la niña le dan ganas de mear.

El día resopla y en la pileta se ha sentado el calor. Del manzano caen lentas pelusas verde pálido porque es el único árbol que tiene tiempo para llorar. La niña se acuerda de lo que ha oído en la cocina, cosas horribles que hablan los que remojan el pan en la cazuela. Cosas atroces que les suceden a los que andan por la calle sin vestidos almidonados, en pa-

sajes sin salida. Y la niña piensa rascando el suelo
con el zapato de charol.

El encerador que además es bombero obligatorio
de la población donde vive porque su casa queda
junto al grifo y ya no va a las reuniones de sindicato
porque pobre de él si lo vuelve a hacer, va a ver lo
que es bueno, corta con una tijera el pasto podrido
del borde de los pastelones que antes, cuando las
cosas iban de otra manera, se llamaba césped inglés.
La niña se acerca y lo mira. El encerador se agacha y
le mira el pequeñísimo encaje de los calcetines. La
sangre de la tierra va por sus venas porque se corta
con la tijera y sale una gota gorda que se mezcla con
los terrones, del mismo color. El encerador, ese
hombrón de un mundo tan sucio, donde hace rato
que un encerador como él debiera haber hecho el
servicio y servido a la patria como Dios manda, se
chupa la vena largo rato y mira a la niña. Ella piensa
en las dos clases de gente que dicen en el salón de
su casa, que venían lo más bien caminando por ve-
redas separadas y nadie se confundía porque las
cosas estaban bien puestas. En cambio ahora.

–Una herida. No grites –dice la niña agachándose. Se le ve el calzón de encaje que le baila un poco
entre las piernas cortitas. El encerador traga.

–No es nada –dice. Pero él sabe que miente.

–No eres príncipe –dice la niña–. Esos tienen la
sangre azul.

–No –dice el encerador–. No soy.

Y le da mucha pena al encerador, no sabe por qué.
Y se acuerda del infierno que hay pintado en la pa-
rroquia con puros enceradores como él.

"Aunque uno se esfuerce y se esfuerce, igual no

más le baja el destino a uno", piensa él, bien fuerte, y le habla a la tijera mientras corta el pasto a ras de tierra, sin dejar la capita verde de césped inglés.

EL encerador, al que esperan dos de anteojos negros en la noche cuando vuelva a su casa de un ambiente por el pasaje con pañales azumagados, se agacha muy cerca de la tierra recién regada del patio y la niña se agacha también: se quedaría con la nariz repleta de tierra mojada a las seis de la tarde si la dejaran, porque es el olor que más le gusta en el mundo. El encerador, que además es bailarín en el prostíbulo de los marineros y deja que las viejas con boa falsa le toquen el culo, se acerca muy suave y le pasa un puñado de tierra negra con una mano a la nariz y mientras la niña huele y huele comienza, desde el tobillo encalcetinado, a pasarle muy lento el dedo y el dedo y el dedo. La niña aspira la tierra mojada hasta el contre con las ventanillas de la nariz toda llena de gusanitos de delicia agitándose y entonces ve la cara de él tan cerca, mirándola y su nariz respirándola como un horno, respirándola a ella mientras ella respira la tierra mojada y después viene la boca, de donde sale un viento cálido que se anida en el cuello.

—Eres como un dibujo de un volcán que tengo yo, tienes las orejas como triángulo y no tienes olor a roto —dice la niña.

—¿No? —pregunta él sin dejar de mirarla hasta que le ve la pelusita rubia detrás de la nuca—. ¿A qué tengo olor?

–A tierra mojada –responde la niña–. Pero a algo más, a algo como a cigarro, limón, humo de brasero, ya sé, a vacaciones.

–¿De invierno o de verano? –pregunta él mientras se mete a puñados la niña en los ojos, completa con su traje almidonado crujiente y sus dientecitos húmedos.

–De verano, las otras no son vacaciones –dice la niña y la mano con el dedo de la mano gigante ha llegado a su calzón suavísimamente, porque es un dedo indeciso, entra, no, no quiere entrar, se va, vuelve, hace como que entra, se va, se asoma al borde del encaje alojándose en todos los pliegues de sus nalgas dobladas, sudando, los muslos, se aloja ahí, más arriba, no tan allá, dice la niña mirándolo fijo–. Ahí no me dejan rascarme.

–¿Ahí no? –pregunta una voz de encerador enronquecida y suave que no sabe en lo que se está metiendo, va perdido si lo pillan, le sacan los cocos a tiros, pero, total, se ha visto en peores cuando lo de las cuchilladas por lo de los gomeros robados y cuando lo de la firma en la fábrica, apenas sabía firmar, igual le descubrieron la letra de encerador; detiene el dedo en el borde del muslo y dice–. ¿Ahí no quieres? Su voz está tan caliente que se le ha derretido, ya no es encerador, sólo queda la cara grande que se le pasea arriba de sus hombros.

La niña lo mira, le gusta la voz como un grueso género que la lustra una y otra vez, la niña se siente como una papa asada que está esperando cada vez más fuerte, con un fuego que le nace por debajo del vestido paralizado de almidón. Le da como sueño pero es una violenta belladurmiente. Una flojera de su calzón que se quiere dormir, un jugo de sueño le corre para adentro y la va ensanchando entera. El encerador, que además está fichado desde que nació, le sigue hablando muy lento, muy lejos, con las palabras más aceitosas, se aleja con el dedo y vuelve a meterse, esta vez algo más adentro; dos pescaditos pequeñísimos le salen al encuentro abriendo y cerrando la boca, sonando con un ruido de minúscula sopapa, qué rico, el encerador comienza a decir palabras con mucha saliva, qué rico gruñe la niña, se sienta en el borde de la pileta, qué rico, ah, qué rico, porque era como si el dedo no quisiera y ella le abre todo, hasta ahí donde no la dejan rascarse, quiere más olor a tierra, que el dedo se le meta más y más, métemelo más, la niña succiona con las piernas el dedo hasta embutirlo casi entero.

–Me gusta, me gusta mucho este juego, sabes, pero no me debo sentar aquí porque estoy con mi ropa almidonada y vamos a salir de visita. –La niña tira al encerador para atrás, que se deja ir a pasos grandes, como inmensos calcetines dormidos. Van caminando los dos, el encerador respirando en su orejita moviendo el dedo dentro de su calzón, donde comienza una cosa de metal que es un motor, tengo un motor, dice la niña, el dedo se calienta, se mueve, palpa muy rápido, casi como yéndose, tócame muy rápido una cosa que tengo, murmura la niña, tócame, tócame, murmura ronca la niña con una voz de encerador.

Detrás del armario de la bodega con los diarios con poca y mucha tinta se han tendido los dos, la boca, la niña le abre la boca, la niña le abre la boca y le ve la lengua, larga y ancha.

–Mira, es que no me puedo sentar porque estoy almidonada, ¿ves?, y si me revisan y el charol es fino y no hay ni vaselina para lustrarlo. La niña toma la cabeza del encerador que late fuertemente con el corazón en los ojos, le agacha la cabeza al encerador, que todavía no sabe lo que es bueno, que lo van a hacer zumbar de todas maneras porque es de La Pincoya y le sacarán fotos de frente pero más de perfil; el encerador se va doblando a los deseos de bronce de la niña, como una vela se va doblando hasta que su cabeza llega entre las piernas de la niña, los calzones le bailan en un aire hirviendo, es un encerador maravilloso, la lengua del encerador entra primero, mé-te-me-la, con los coletazos de un pescado dormido y después la niña con los muslos que se le van abriendo como una nuez que nace, sosteniendo con una mano el vestido de organdí y la cinta de la cintura que se le escapa y el chaleco de hilo blanco que se ensucia de mirarlo, se sienta, se monta arriba de la cara del encerador, que en sus ratos libres, que son casi todos, es pintor del centro de madres, y la niña navega en la lengua montada, en la lengua en medio de un líquido violento y grueso que sale de la niña junto a unos rugidos silenciosos, fuertes, de ruidos hondos, tratando de sostener las dos olas de bronce que se le suben a su centro mismo, cosita, murmura el encerador, que en sus días de borrachera de grapa dice poemas en la botillería y la niña se retuerce en un viaje empapado hacia el dedo, hacia la lengua, sin olvidar el vestido y los vuelos del cuello, que terminan cada uno en un lacito de terciopelo.

El dedo, la lengua, el dedo, la lengua, me viene

una cosa rica, me viene una cosa rica, galopa la niña
sin esquinas ya, y con movimientos redondos vueltos
todos hacia arriba, todas las tortugas del mundo están vueltas hacia arriba, la cara del encerador, que
tenía malos instintos de nacimiento y andaba por los
mimbrales haciendo quién sabe qué cosas, está entreabierta y jadea y las gotas de sudor ácido de la niña
las chupa el encerador hasta la última gota, cuando
uno vuelve boca abajo la botella y aún así la golpea
para que salga más. A la niña entera la chupa el
encerador despacito, despacito, otra vez, ¿quieres?,
de nuevo, sí, murmura desde su estómago la niña
que arruga muy poco la parte de atrás de su vestido
de farolito blanco y la enagua de repollo se plisa entre
las manos gigantescas del encerador, que está fichado y tiene pésimo rendimiento, tiene los ojos meti-
dos entre las carnosas piernas de la niña y ahora su
lengua con un urgimiento propio y desesperado va
entrando en un violento carrousel, hincándose en las
partes más tibias, más sudadas, de las orejas te
cuelgan unas partes de carne, redonditas y limpias
dice la niña, muy cerca de él, dice la niña. "Ahhm, el
dedo". De pronto la niña se vuelve tan dura, que es
imposible tocarla, ni un gramo de su carne está
suelto, los ojos se le vuelan hacia adentro hechos dos
golondrinas, vibran por encima del encerador, al que
faltará lengua para confesar toda la lista de atentados
que cometió desde que nació, sobre todo en contra
de la luz eléctrica, madre de la paz; el encerador toma
en brazos a la niña, algo asustado, ya, guagua, ya,
rico, mi guagüita.

Los rizos de la niña cuelgan dormidos y las
piernas son dos mangos hirviendo; el encerador la

tiende entre los sacos que hay detrás del armario. La niña duerme furiosamente un instante y ni siquiera en su légamo verde olvida los pliegues de adelante del vestido.

–Qué rico es –dice despertando y besando al encerador, al que espera una camioneta sin patente en cada punta de su vida–. ¿Cuándo me lo puedes hacer de nuevo?

–¿Te gustó? –pregunta el encerador, maravillado, mirándola con todo su inmenso overol, asombrado ante la brillantez castaña de los ojos de la niña, parece un pensamiento de esos dobles de terciopelo. La lame llenándola de una gruesa saliva almidonada.

–¿Puedes venir todos los días y hacérmelo? –dice la niña.

–Sí –dice el encerador, quien tiene antecedentes de mala conducta y hambre crónica.

Entonces la voz que lava a mano y que se llena de alfileres para coser las bastas, llamó a la niña desde la puerta de la cocina.

La niña va arrastrando los zapatos, alisándose el vestido, volviendo a los miles de lazos, palpando la rosa de atrás de su cintura, mientras con una mano se sube los calcetines de a tirones.

–Pero un minuto que te dejan sola y mira cómo te pones –cacarea la voz–. Mira cómo tienes ese vestido. ¿Dónde has estado revolcándote?

La niña se llena de admiración porque su mamá es bruja, piensa y sabe las cosas sin verlas. Y ya le va a contar lo rico que le ha hecho el encerador, que sabe un juego precioso, cuando la voz dice agria, empujándola:

–Estás imposible. Voy a tener que lavarte otra vez.

123

Mírate el pelo, parece que hubiera pasado un ejército de patos... ¿Y ese olor? ... Como si te hubieras metido en lavaza... Bueno con la niña desordenada esta.

La niña se mira los calcetines. Están empapados. Piensa que esto no se lo va a contar al padre Benedicto que grita en las misiones. Piensa que ella no va a llegar nunca a la rosa que hay al final del camino con espinas del bien, de las filminas de después de almuerzo, con el criterio como un perfume flotándole detrás de las orejas, igual que su primo.

De pronto, la voz le palpó los calzones y tronó:

—¡Cochina, asquerosa! Te measte de nuevo. Ahora sí que te pego, ¿sabes?

Y la arrastró hacia el baño.

FLOR BLANCA

EN LA TARDE hay que salir. Me arde un poco la boca. Y qué. Es como una ordeña, yo tenía un primo que ordeñaba con la boca y murió y ahora yo. Pero no a las vacas. Mi mamá se levantaba a las cuatro para la ordeña y en eso dejó sus pulmones, dicen, porque ahora está muerta. Todavía está muerta, hace como no sé cuántos años y no se quita. Qué serán los pulmones. Quedan más arriba que el marrueco, dicen.

A mí, lo único que me importa es llegar a la esquina antes que la Pito y la Palogrueso. Pescarme la esquina para el día. O por lo menos, la primera mano. La primera vuelta.

Siquiera una vez que me pesque la esquina. Las esquinas son libres, dice la Pito, todo porque tiene senos y los tipos se van primero donde ella porque le pueden tocar mientras ella. Es mentira que las esquinas son libres. Esta es de ellas. Desde siempre que las he visto aquí, una a cada lado contando los billetes bajo el delantal y escupiendo.

Pero la Pito y la Palogrueso hacen como si esta

125

fuera una esquina corriente, de las para pasear por ellas y atravesar no más. Pero es la mejor esquina. Todos lo saben. Es porque tiene dos semáforos, uno arriba y otro abajo y andan disparejos, así es que hay luz roja casi todo el tiempo. Así se llama. La luz roja, ahí trabajamos nosotras, dice la Pito. Dos semáforos y un pasaje sin salida. Lo mejor en esquina.

El callejón nadie lo ve porque está detrás del quiosco. Y hay muy mal olor; los baños de la fuente de soda dan ahí. Es perfecto. Yo ya no siento el olor. Lo sentía cuando llegué y cuando la Pito y la Palogrueso me empujaron y me dijeron que me fuera a otra parte. Pero yo les pregunté ¿a dónde? y nos hicimos amigas.

El día que nos pongan línea cebra se acabó, dice la Pito, porque va a pasar plagado de inspectores y tiras. Ahora ni vendedores de calugas hay. Mejor. Así no vienen familias enteras a atravesar con helados y globos y mami quiero hacer pipi, ahí cagó el callejón.

Dije que traigan a cualquiera, no oyeron? a cualquiera, da lo mismo, hay no se cuántas, bajen por el sector de Pila del Ganso, de siete, tirando para los ocho, más o menos, me la desmugran, me la peinan, y fotos, de frente, de lado, con el vestido nuevo, que salga en el antejardín, me la sientan en todas las mesas para que el "centro" se vea funcionando como sea, no ven que lo tiene entre ceja y ceja la presidenta? o quieren que salgamos todos relegados a la Quiriquina? Me la ponen con el vestido nuevo y digan que es el uniforme de las asiladas, y apúrense, que esto tiene que salir hoy, ayer tenía que haber salido, estamos atrasados, como siempre.

Pero la Pito y la Palogrueso me admiten, por algo me admiten, éstas nunca hacen nada porque sí, tienes técnica, renacuajo, me dijo el viejo del otro día, en el pasaje, que no me fuera, decía, y se movía como títere, dando coletazos, agachándose, parándose como un caballo con la camisa abierta, sucia, sudando a chorros. Yo me movía como me dice la Pito, como culebra viciosa. La Pito dice que yo me retuerzo más que ninguna, soy buena en eso, y que cuando grande yo voy a andar con ella y ahí van a ver los huevones engordatontas, dice, les vamos a chupar la sangre fuerte, fuerte, siga chupando, mijita, no sueltes tu boquita de oro, piquito de marfil, al viejo se le había puesto la voz joven, parecía que había encontrado la laguna de la sed, no sueltes, sigue chupando, mira como se me puso, hace tanto tiempo que no se me ponía, te llevo conmigo, no te me despegues, toma tu lechecita de toro, ven, acércate más, más, méteme la mano aquí, sóbame, así ...mira que en una de esas nos vamos por am...

En el bar de al lado sueltan el tango de la máquina, Por amooor, flaca, tres cuartos....

Justo como había dicho usted, cerca de la Pila del Ganso la encontramos. Era una cabra rara: nos miró sin arrancar, los ojos, dos pozos sin fondo y la boca ardiendo, como en carne viva...

La Pito y la Palogrueso me dejan entrar a la esquina a veces, nada más que porque a las dos les gustó mi hermano, un hermano de madre que yo tengo, que en las noches se vuelve mono y sube por las paredes arrastrando unas cadenas y en el día es mecánico y desabolla autos en Diez de Julio. A las dos les gustó desde el principio y comenzaron a darme más y más cosas, yo una vez fui a un remate y hacían lo mismo.

Una vez fui a un remate de verdad y encontré a un viejo, pero como no era de los pescados en la esquina, me dejé para mí la plata. Hay que decirles "caballero", tocarles el codo, haciéndose la bien chica y pasar a llevársela con el hombro de una rozando el cierre del pantalón. Después una dice, mijito, quiere echarse una, y se lame los labios harto, mirándolos y es el cambio de caballero a mijito lo que los entusiasma como la sal de fruta. Me gusta en los remates. Es rico, hace calorcito y reparten café, aspirinas y a veces, shampú. Hay que gemir con los viejos, como si una no quisiera, pero de repente quisiera y lamer y apretarlos en la punta, los quejidos, sin olvidarse de los quejidos, pero siempre vivo el ojo para que abran la billetera casi junto con cerrarse el marrueco, con esa cara de vinagre que tienen a la hora de pagar, como si hubieran vomitado. Deja que los viejos te toquen el alma, dice la Palogrueso, que se mueve junto con los viejos y le sale una leche amarilla, a ella, no al viejo, y dice que después de todo, es lo único que vale la pena en esta vida junto con los churros con azúcar flor y dormir hasta tarde. La Palogrueso bosteza sin parar.

Aceptó que la subiéramos a la camioneta, mirándonos como de vuelta de una hondonada de ceniza, la boca goteando algo, no sé, yo no entiendo a los críos...

Cuando los pesco en la esquina voy corriéndolos de a poco para adentro, vamos más para acá caballero, tengo frío, es mejor en el callejón porque solos sueltan más plata y se retuercen más. Cierro los ojos y veo un palacio sin una gota de tierra, con la Virgen adentro, la Pito dice que no se puede pensar en esas cosas mientras. Pero yo pienso igual y me imagino que la acequia que sale de los baños es un río de plata y me imagino surtidores en las plazas sin barro y con harto pasto como en el barrio alto. Me imagino que si uno duerme en el barrio alto debe amanecer siempre contenta, sobre todo si amanece en las plazas, con columpios rojos y niñitos celestes completos.

La Palo hace días que no viene. Parece que ya no chupará más y se va a ir con mi hermano, porque se anda peinando y ya no se saca costras con las uñas de la oreja y se lava el poto todos los días y nos tiene amenazadas de muerte a la Pito y a mí si se nos sale algo de ella delante de mi hermano, y se quiere comprar una enagua dice, no sé para qué. Igual mi hermano sabe, no va a saber él, que se crió en San Camilo con una amiga de mi mamá, que lo tenía para los mandados y para que cambiara el agua del lavatorio.

Le pusieron el delantal a cuadros y el cuello almidonado. La sentaron el el centro de la sala, con la cabeza

estilando y los ojos tirantes que no nos miraban a
nosotros, sino a algo oscuro que le venía desde aden-
tro.

La Pito está como envejeciendo rápido, todos los
días amanece un poco más vieja, ya no tiene fuerzas
en la boca, la lleva abierta y mira fijo y todas las
macanas son porque se desmaya en la mitad de la
cosa con el viejo y despierta sin un cinco y los calzones chorreados, además de que se mete las manos
todo el día para que le baje la felicidad, dice, y el
padrastro ya no la toca porque le dan ataques y en
la familia la están llevando al consultorio.

Voy quedando sola en la esquina, el ciruelo del
fondo del pasaje se murió. Y esa cosa que teníamos
las tres de juntar las cabezas y reírnos a gritos de los
viejos que habíamos tenido en el día, también se
murió. Ya no mascamos Dos en Uno. Van apareciendo cosas en el palacio plateado que yo me imagino, cada vez con menos ventanas y puertas.

Iba a llegar ya el auto con la presidenta y la comitiva
de ociosos y peladores y secretarias de las que piden
cosas: primero llegarían los fotógrafos, y le arreglamos
por última vez el pelo antes que le tomaran las de cerca.
Se dejaba hacer sin decir nada como mirando algo a
través de nosotros, bien ida la cabra dijo alguien.

Me voy quedando dueña de la esquina. Está todo
aconchado, la tarde se apoza en unas especies de in-

mensas milanesas de cosas aplastadas. La tarde es un cajón y todo lo que no se cuenta cabe ahí. En la noche se abre el cajón y salimos. Salíamos. Ya no. Salgo sola. Siempre voy donde los viejos y les paso a llevar con el hombro y les digo "caballero" y después "mijito"; a veces les saco billetes mientras están en, sin que se den cuenta, pero no es igual. Me gustaba ganarle a la Pito en el luche entre viejo y viejo para calentarnos porque en agosto era fiero el asunto, con el relente que se metía como culebra entre las piernas. Una vez nos jugamos la concha y la Pito se arrugó y dijo que era pecado y no importa, la jugamos igual, apostándole al caracol último casillero, porque ahí está, en el último casillero de una, no ahí está el alma, pero la Pito no tiene alma, tiene pura concha. La concha de la Pito es mía porque me la gané en el luche caracol, aunque ella hizo trampas en el juego y en el amor todo vale, decía, pero igual se la gané. Nunca he tenido nada y ahora tengo la concha de la Pito que chorrea como una lágrima amarilla y sempiterna.

Piso algo que no se ha movido nunca, que aunque uno patalee, siempre va a estar ahí, unos viejos conversan en el bar y le dicen destino, pero yo le trato de hacer el quite aunque no es tan fácil. Una costra de cosas viene subiendo por los minuteros del reloj de San Francisco, una bolsa de cosas que nadie quiere saber y que no miran siquiera al pasar. Vienen los días, los días como paraguas. Como tampones. A la caída de la tarde, veo los berlines gordos inflados, pero ya no me dan hambre se inflan como pichulas de viejo gordo y mientras chupo cierro los ojos y veo los huesos pelados de las piernas de las viejas que se bajan de las micros con paquetes; nunca pasan por el callejón y se suenan al atravesar. Me arde la boca, tengo los labios calientes porque se me fue el pellejo de los labios con las malas costumbres, dice alguien y es que es muy fuerte el polvo de los viejos malos, ya no me queda boca, me miro en los vidrios de las ferreterías y me veo un solo hueco rojo. No va quedando nadie aquí, en esta esquina amarilla, dame limón, Pito, tengo sed, me bailan los dientes, me lamo una y otra vez los labios de harina roja, dame limón, Pito, para sacarme el callejón del pelo, de las uñas y pensar en mi palacio sin tierra, sin ventanas y sin puertas...

En la comitiva venían las pecheras, los abrigos de angora, carteras haciendo juego, sonrisas haciendo juego, pero los fotógrafos se bajaron primero, los fotógrafos deberían haberse dado cuenta pero ella lo esperó a pie firme y cuando el fotógrafo le dijo acércate guachita, ven, vamos para esa esquina, ella se le tiró encima con esa boca sangrante que parecía una herida en medio de la cara y entonces vimos que venía de otra parte muy lejos, de una alcantarilla tan honda que casi llegaba al cielo por el otro lado, qué sé yo, también quedé medio tonta y después sacan a la cabra en un saco y la van a botar al Mapocho con un pan con paté, no la admiten porque dicen que la institución no es para anormales, que para eso están los otros, ellos quieren empezar con niñitas con chapes bien castaños tirando a claros que sepan coser, cantar y bailar y aprendan la tabla de multiplicar... cállate, me dicen y me están mirando feo también...

PANDORA

EL REMEZÓN NO VINO de a poco. En realidad, nada
viene de a poco en esta vida. Todo acaece tal como
en los terremotos: de sopetón. Somos nosotros los que
vivimos de a pizcas.

Fue en algún mes del año noventa y nueve.
Descoyuntamiento de tierra, se oía decir. Unos le
llamaron movimiento sísmico, deslizamiento de la
marquesina continental. Yo lo llamé el fin del mundo. Liso y llano. El Día del Juicio, el que nos habían
metido en la médula para la Confirmación en la pa-
rroquia, antes de la confesión general, el que iba a
ocurrir cuando el hombre no supiera ni el día ni la
hora. Yo nunca sabía la hora y andaba más distraída
que una bolsa de aire, decía mi mamá, así es que en
cualquier momento podía venir.

Pero lo que yo no podía entender era la voluntad
de Dios de armar el fin del mundo justo en la mitad
del verano, cuando nos habían apisonado el hoyo
para la piscina y nos dejaban hacer comida en la
salamandra de la casa de muñecas de los Barceló,

133

donde cabíamos todos parados porque era antigua y los antiguos hacían las cosas mejores que nosotros. Pero sobre todo, cuando mi primo de Santiago ya iba a venir y yo ya no podía respirar de pasión en las noches y se me mojaba el férreo calzón contra rascaduras y toqueteos nocturnos porque salían culebras y las mujeres vírgenes no tienen culebras, decían.

El remezón vino en medio de la noche, cuando todos dormíamos con la conciencia destapada, excepto yo, con mi maldito pijama de una sola pieza insobornable de franela inglesa, untada entera con mentolatum para sacarme los granos que había pescado al bañarme en el tranque de los canutos, que bautizan sin que te des ni cuenta.

Y fue un abrir y cerrar de ojos, puertas que se salían de cuajo, muros partiéndose como gajos de naranja, nanas que corrían con niños a la cintura, jaculatorias encabritándose en labios partidos sin rouge alguno, fue un sonar de montañas entrechocándose y un tierral que parecía confusión del alma.

La Señorita veraneaba con nosotros ese verano para cuidar las depresiones quincenales de mi madre y ponerle las compresas de té sobre los ojos mientras le contaba cuentos de una tabla redonda; la vimos bajar con encajes en cuello y puños vomitando un inglés velocísimo como pequeña garza blanca. Mi Nanita, que había renegado toda la vida en alto castellano contra esas lenguas bárbaras, le contestó en una cadena de sonidos equivalentes que nos dejó a todos con la boca abierta. La Señorita se acercó a ella y le tomó las dos manos, agradecidísima.

Mi padre nos arreó hacia afuera, con huasca.

En el patio, con el índice vibrante por el terror, mi madre nos contó en balbuceos. Estábamos los siete. Su figurilla de porcelana ribeteada con géneros franceses y cintura mínima tenía el ánimo lloroso. Lo había tenido siempre desde que vivía en este tremendo fundo de extensiones de trigo ante las que ella desaparecía, simplemente, sin poder decir nada. Ni siquiera preguntar por qué estaba tan lejos de un Santiago encantador, con idas al Municipal, acicalamientos en baños del teatro y tacitas de té con chismes destilados. Ella, sin comprender jamás por qué estaba sepultada en El Totoral, viendo a gruesas vacas parir mucosas grisáceas y días aún más gruesos gotear una eternidad con olor a guano.

Detrás de ella apareció mi padre haciéndole sombra. Los suaves ojos de mi madre se prepararon para las órdenes y la ordenación del caos.

La grieta entre mi padre y mi madre empezaría suavísima, tal vez un domingo, cuando él ya no asombró de su aérea belleza de Greta Garbo ni de la lejanía de sus ojos y le vió las bolsas de las mejillas y comenzó a considerarla una posesión tenue, levemente molesta, aunque ni siquiera él mismo lo sabía entonces, porque no era muy fácil darse cuenta de las cosas con tanta tierra.

Ese día, mi madre seguía pidiendo cosas con aire de ciega, moviendo las puntas de sus dedos borrosos. Su alma se marchitaba como siempre, al soplo del viento rural, desde su cintura de llave.

Pero mi padre tomó posesión del cataclismo: nos ordenó a todos bajo las dos palmeras de la entrada y nos prohibió movernos.

En seguida fuimos con él, uno por uno, a la única ala de la casa que no se había derrumbado por completo: su pieza de vestir, que daba a las caballerizas.

Encima de los camisones de dormir nos puso sus pantalones de huaso. Hacía frío como un agua persistente. Me tocó un pantalón mojado en la entrepierna como con engrudo. Pero yo había sido adiestrada en el arte de no decir nada al mundo de arriba y me lo puse sin vacilar.

Nada importaba entonces, sino defenderse del humo friolento que entresalía de la tierra paralizada. Y claro. Mi hermano Carlos se atrevió a reclamar, que no eran de su talla y recibió el primer sopapo del día. Ese llanto arrastró a los otros, mientras se nos entraban por los ojos para siempre, las ventanas descuadradas, las alfombras saliendo por las ventanas, los esquineros reventados, las pozas siniestras donde gorgoriteaba el agua oscura de las entrañas humeantes de una tierra extraña, los cadáveres de perros y gatos con las patas al aire. La Nanita nos tapó los ojos. Entonces, mi padre dijo:

—En fila. Sin soltarse. Dormiremos en la casa de muñecas.

De a uno fuimos entrando con cautela. Era la misma casa de los encuentros desnudos con mis primos de Santiago en los veranos, después del tranque, sudorosos, embarrados de tierra y deseos no bien aclarados, risas y escondites donde los chicos no tenían acceso y se quedaban llorando ante las puertas trancadas amenazando con acusar sin atreverse, mientras los grillos se desgañitaban de placer en los rincones polvorientos.

Mi padre comprobaba los espacios para cada

edad. Apenas cabíamos. Encontró calzones entre las vigas. No dijo nada. Nadie estaba para decir nada. Pero él desarrolló por aquellos días una voz estentórea para las órdenes que daba mucha seguridad a todo el mundo y que nunca más se le quitó. En seguida, en rigurosa fila –anduvimos en fila todo ese tiempo, creo– salimos a esperar el rescate doloroso de los colchones, sacados a tirones por Pedro, quien trabajaba enronchado para siempre por el espanto.

Mi hermana Rebeca me codeaba con insistencia. Ni siquiera la miré. No estaba para oír locuras en aquellos momentos en que todo se bamboleaba.

Nos metieron los camisones dentro de los pantalones de huaso y nos amarraron el miedo con las fajas de domingo. La Rebeca se colgaba de mi oído:

–Oye, oye.

Nos acostaron de a dos en cada colchón. Me tocó con ella y no pude evitar acordarme del verano cuando la consigna era salir desnudo de la casa e irse debajo del pino, con mis primos de Santiago. Allí había una colchoneta con paja debajo sin una sola luz. Siempre fui más audaz que ellos y aparecí completamente desnuda mientras que ellos se iban sacando por el camino aquellos ridículos calzoncillos con botones. Pero una vez dentro del pino, nos envolvía una tormenta imposible de detener. Los papás dormían en el segundo piso. A veces, sus discusiones llegaban hasta nosotros por la ventana abierta. Nunca se oyó la voz de mi madre.

Ahora, en medio de la noche, vendría la confidencia de Rebeca en mi oreja. Pero esta vez me equivoqué. En medio del silencio obligatorio impuesto por papá, se oyó la voz de bajo profundo de mi hermana:

—Quiero caca, Papumi, quiero caca.

Nadie se movió. Mi padre la hizo callar desde el colchón mayor. Entonces Rebeca, que siempre se tiró al abordaje en todos los momentos de su azarosa vida, gritó:

—¡Papáa! ¡Ya me hago caca! ¿Puedo salir?

Mi padre la llenó de invectivas. Niña estúpida, mal hecha, churrete idiota, tarada, inoportuna desde su nacimiento, ¿no podía aguantar?

—No —dijo Rebeca.

No se podía salir. Que entendiera esa estúpida. ¿No veía que seguía temblando? Que se callara y durmiera de una buena y maldita vez.

La voz suave de mi madre de porcelana remeció a mi padre: que no maldijera, sobre todo en estos momentos en que no se sabía nada de seguro. Tocaron a la ventana. Era Pedro. Le castañeteaban los dientes, más que cuando lo del puma. Mi padre, que entendía los pensamientos de los pobres, tradujo para todos:

—Sí, el potrero. Sí, me acuerdo, el de rastrojo, pues, huevón, ¿qué pasó? ¿Qué mierdas puede haberle pasado a un potrero?

—Desapareció, don Carlitos —dijo Pedro—. No está más. La Delmira y los niños lo andan buscando, pero no aparece.

Mi padre se quedó en silencio. Ahí supe que a él también le había bajado el miedo al alma y que era del mismo molde de todos nosotros. Mi madre escarbaba como un ratón con sus dedos blanquísimos, que relucían aunque no hubiese luz.

De pronto se esparció el olor. Rebeca permanecía tendida como Juana de Arco, con las manos sobre el pecho y el olor rodeándola como una aureola.

–Te hiciste, imbécil –la remecí–. Di, ¿te hiciste caca con los pantalones puestos?

No me contestó. La volví a remecer. Entonces, la fetidez se esparció en anchas ondas hasta llegar donde la Señorita, quien, abanicándose con algo inexistente, dijo:

–Oh verdaderamente, temo que es algo terrible, tal vez, separar un poquito si usted no tiene inconveniente, nosotros muy juntos...

Mi papá salvó de un salto la distancia en colchones que lo separaba del foco de la infección; la tomó por los brazos y en alto la lanzó hacia afuera cerrando la puerta detrás de él. Luego se olió las manos. El suelo temblaba aún débilmente.

Mi Nanita había querido –terminantemente, don Carlos– como ella quería las cosas, dormir afuera, en la pequeña galería de tres palos de nuestra casa de muñecas.

–Para atajar a los primeros enloquecidos –había establecido sin discusión. Aunque yo sabía que era para poder rezar el Rosario tranquila. Se le instaló en el sillón de tres cuerpos y encima, la preocupación de cada uno de nosotros por el frío del relente, le fue agregando chales, mantas, echarpes y pañuelos de cabeza hasta lograr convertirla en un verdadero elefante de la India, algo gruñón y con el rosario calipso en la mano.

–No hay temblor del diablo que pueda contra Nuestra Señora –decía.

Rebeca apareció en medio de la noche, envuelta

en lágrimas y en un olor inconcebible que despertó por completo al elefante de la India, que tuvo el coraje de sacarle los pantalones de huaso, bolsudos, tibios, y limpiarlos precariamente con tierra, así como a su dueña, que había adquirido una postura de magdalena y se dejaba hacer, llorando a lágrima viva.

Mi madre de porcelana preguntó quebradizamente en medio de la noche:

–¿No habrás sido demasiado brusco, Carlos? Mira que se te puede pedir cuentas.

Ahí todos recordamos que se trataba del fin del mundo.

Habíamos alcanzado a llegar hasta el noventa y nueve. Ese año no habría veraneo de olor dulce ni descubrir las cosas que erguían sus corolas abiertas en la noche de la colchoneta. Me acordé de una de nuestras cláusulas. Rompimos todos los espejos que teníamos a la mano. Los mayores se asombraron ante la simultaneidad de casualidades. Pero nosotros ya no necesitábamos vernos el reflejo porque estábamos de tal modo seguros de nuestros secretos en los veranos. Sólo mi madre conservó un espejito de mano al que acudía constantemente en busca de palpar su rostro que se le iba.

No se oía aún la trompeta del ángel rasgando los cielos. Mi madre discutía suavísimamente con mi padre. Este hacía gestos de barco yéndose.

–Sí, hija. Mañana. Sí. Hasta que las encontremos.

Y entonces, fue lo extraordinario. No se acabó el mundo. El día siguiente rompió a existir con un sol esplendoroso, de un amarillo postal que acabó con el terror húmedo de la noche.

El papá salió en un tenebroso viaje de reconocimiento a caballo. Cuando volvió, lo vi desencajado por primera vez en la vida.

En medio del suave movimiento que persistía como si la tierra hubiera adquirido de pronto inseguridades de lanchón, él nos hizo prometer que andaríamos en grupo, nadie se me aparta un ápice, en choclón, no me vengan con huevadas de tener que ir al baño ni ninguna de esas leseras.

Nos volvió a apelotonar a todos en el centro del parque, junto al macizo de achiras.

Entonces, la figura de mi madre, pálida como la cera y con las crenchas de pelo rubio aún trágicamente dispuestas sobre su cabeza, se separó, caminando a paso de pájaro y se dirigió a las ruinas.

Ahí se encuclilló y con las manos convertidas en dos pequeñas garras transparentes, comenzó a cavar. Era tan tenebrosa y dura su expresión que nadie, ni mi papá, que detenía cualquier iniciativa individual, se atrevió a objetarla. Rebeca se le acercó. Había mostrado desde su nacimiento una curiosa sordera para los mandatos.

–¿Qué estás buscando, mamá? –preguntó.

–Mis cosméticos y las joyas –contestó ella, decidida.

Entonces mi padre cayó en la cuenta de la importancia del asunto. Ya no había posibilidad de caminos. Desaparecidos los potreros, sobreviviríamos sólo por los valores en joyas. Se trataba de la compra de alimentos, aunque estoy segura de que mi madre, entre sus lágrimas rosadas, sólo pensaba en ponérselas.

Pedro fue enviado a ayudar a mi madre en la excavación. Después, mi padre mismo se puso a la tarea.

Entonces, Rebeca se arrastró hasta mí. Había tomado esa costumbre de andar culebreando para no sentir la oscilación.

—Oye, acabo de desenterrar algo —me dijo.

—Si es un perro muerto, tienes que botarlo, da tifus —dije perentoria—. Y si es Pepito, por favor entiérralo sin sacarle las plumas antes de que lo vea la Señorita.

—Ni Pepito ni perro —silabeó Rebeca—. Se trata de una mentira que yo tenía guardada bajo la colcha de mi pieza.

Se quedó seria, mirándome. Yo me agaché y le miré más de cerca la chasquilla, en la que anidaban unas certezas aterradoras. No parecía afiebrada, ni tampoco llena de risa, como cuando hacía bromas malignas.

De pronto se sintió un llanto de niña. Miré hacia mi mamá. Se hallaba sentada en la tierra, con las manos negras. La Nanita le enjugaba el rostro con un gran pañuelo a cuadros. Corrimos las dos. Mi madre le estaba diciendo a mi padre:

—Están saliendo cosas raras cuando uno escarba, Carlos. Ha aparecido aquella noche, ¿te acuerdas?, de tu cumpleaños, cuando todos aquí, esperándote para comer y tú con la mujer del cónsul Hemingway, en los baños del Club, ¿te acuerdas? Eso sale, en vez de lo otro. —Y mi madre, sin una sola joya en las manos, se refregó los ojos y siguió llorando.

Papá nos hizo señas de que nos esfumáramos. Desde lejos lo vimos cómo acariciaba las guedejas de reina de las praderas que ostentaba mi madre a esas alturas.

Pero ya la curiosidad de llegar al fondo se había apoderado de mí.

Nos acercamos los siete a escarbar cerca de la cocina. De los escombros salió un polvillo rojo.

–Es la tierra de color que había en la cocina, qué otra cosa va a ser –dijo mi hermano, que estaba suscrito a "La Ciencia al alcance de su mano".

–Sigamos –dije.

Pedro nos tiraba de los hombros, que mi papá iba a venir y si nos pillaba, que fuéramos a formarnos al patio, bajo el sol lleno de círculos.

Pero nada nos podía contener. Nos íbamos de cabeza a los rincones más oscuros y cavábamos en medio de ruinas entreabiertas.

Salió una estruendosa borrachera de mi padre, en la que se había tratado de propasar con la Señorita metiéndole la mano por la camisa de dormir, y que había quedado sepultada para siempre en las aguantaderas rubias de mi madre y en el diario de vida en inglés.

También salió el galope tendido de mi madre, casi sin ropa, en un caballo sin montura después de una horrible pelea con mi padre en Año Nuevo.

Mi primera menstruación apareció como una cala roja ahí, manchándole la boca a mi primo de Santiago, que me miró desaforado y se desmayó entre mis piernas. Ahí se había terminado todo. Lo tuteé inmediatamente, desde ese momento y pedí un espejo gigante para mi dormitorio.

Esa fue la época en que mi madre viajaba dos veces a la semana a la Catedral de Santiago a confesarse y después al Paula, a comer sandwiches de ave con pimentón e interminables tazas de té llorado.

Yo cavaba a estas alturas en un desordenado frenesí sin saber mucho a qué apuntaba mi búsqueda. Sólo sabía que estaban apareciendo cosas que permanecían una capa más abajo de las palabras y que eran mucho más importantes que las joyas. Temblábamos bajo el sol furioso de las últimas horas de la tarde violeta.

Llegamos a algo duro. Aunamos los dedos para cavar, por los lados, desgarrando los terrones, aquí lo tengo, por debajo, suelten, sujeten, empuja, ya, con cuidado.

Fue apareciendo poco a poco la pequeña cajita blanca con flores y la cruz en la tapa. Dentro, el cuerpo pequeñísimo, intacto, oloroso a guagua, de bracitos que sobresalían de la mantilla amarillenta.

–Era de la mamá –dijo Rebeca inmutable–. Era el que venía después de mí, creo. En ese tiempo el papá estaba con la Hemingway. Mamá se lo sacó y lo perdió adrede.

–Y cómo sabe ésta. –Yo ardía frenética, preguntándole, remeciéndola.

Rebeca, mirándome con sus ojos de cien años, contestó:

–¿Y tú no harías lo mismo?

–¡No! –rugí. Tapé con un golpe la tapa blanca. A una, todos comprendimos.

El hoyo se hizo rápido, con dedos y pulgares desesperados, cavando con rapidez de perros en la tierra roja. Metimos la caja y apisonamos el suelo muchas veces.

–Si me abandonara el aire, ayyy –canturreaba Rebeca.

La empujé.

–Andate –le dije–. Esto no es para ti.

–Ni para nadie- replicó ella, parada en sus asombrosos seis años.

Después salieron cosas que a nadie le importaron mucho: cuando mi hermano Carlos tuvo su primer encuentro con la niña que lavaba los platos y disparó su primer chorro de semen, asombradísimo; salió también mi primera masturbación, en el calor de una gripe de febrero con un chupete de mi hermano. Carlos hizo arcadas, pero el asunto no pasó a mayores. Nadie tenía ánimos para agarrarse a gritos, ni siquiera para juzgar lo bueno y lo malo.

Al anochecer, papá vociferó:

–Todos a la casa de muñecas, con el estómago limpio y los pantalones amarrados.

Estábamos dentro, adormeciéndonos, cuando mi Nanita golpeó la puerta:

–Don Carlos, abra –dijo–. Estuve escarbando y ¿sabe lo que encontré?

–Las joyas de la señora –saltó mi padre, extendiendo la mano.

A nosotros nos bajó un chorrito de terror por nuestros pecados concebidos. La Nanita apareció en el umbral.

–No, pues, don Carlos, no se me ponga tonto. Algo que sirva de veras. La caja de pan de anteayer. ¿Ve?

Mi padre partió las rebanadas. Y dijo que calma. Que esto no era el fin del mundo.

Pero nosotros sabíamos que sí.

–VEN –DIJO EL HOMBRE hundiendo media cara en su hombro–. Me gustas ahora, cuando pareciera que vienes de lejos lejos y que yo te hubiera esperado mucho.

–No vengo de lejos, tonto. ¿Está cerrada la puerta? –Y ella se puso colorada.

–Bueno, tanto como cerrada... –dijo él riéndose–. ¿Cómo no va a estar cerrada? ¿No ves que no hay corriente?

–De veras. –Ella puso la mano húmeda para sentir lo helado pero no sintió nada.

–¿Prendo la luz? –dijo él risueño.

–Sabes muy bien que no hay ampolletas, no digas tonterías. –Ella, un poco rencorosa con el buen ánimo, bajó la cabeza para no besarlo de frente.

Entonces, él le levantó la cara con los pulgares endurecidos.

–Yo decía la luz de conocernos de memoria– dijo muy suave.

–¿Por qué no me quieres mirar?

–Porque estoy fea, por eso. –Y ella se encogió más para abajo en la oscuridad.

–No te muevas así, que me aplastas contra la pared –dijo el hombre, incómodo–. Por qué harán tan chicas estas cuestiones –rezongó.

–Para que la gente se quede tranquila, supongo, ¿no? –dijo ella–. Y además…

–Pero nosotros estamos tranquilos, ¿no es cierto? Y él agregó, con una sonrisa:

–Dame un beso bien dado, mujer demorona.

–No –dijo ella–. Hay ruidos.

–¿Ruidos? –El puso cara de incredulidad. Y aplicó el oído a las paredes, escuchando atentamente, como antes.

–¿Dónde pudiste haber sentido ruidos aquí, si es la tranquilidad misma?

–No tanto. –Ella trataba de mirarse las uñas, pero no veía nada–. Ayer unos escolares estuvieron tirando piedras toda la tarde

–No oí nada –dijo él.

–Porque dormías –saltó ella–. Porque lo único que sabes hacer es dormir.

–¿Y qué? –se enojó él–. Tengo derecho, ¿no? ¿Y tú, oye? ¿Qué es lo que tanto haces, se puede saber?

Ella se puso roja:

–Pienso –dijo.

–¿En quién? –estalló él, indignado.

Ella lo miró con los ojos como desde lejos.

–No has crecido –dijo–. Deberías preguntar "en qué".

–En qué, entonces. –El miró hacia la pared oscura que comenzaba a gotear un agua parda.

–Quién sabe en qué. –Ella abría los ojos inmensos en la oscuridad–. Oye –agregó–, las paredes gotean.

–Si sé –respondió él–. Pero ahora no puedo hacer nada.

–Nunca sé si tengo frío o calor –dijo ella, tiritando un poco–. La cuestión es que esto resulta ser como las pelotas.

–¿Y qué esperabas? –El trataba de mirarle los ojos para reírse de ella–. ¿Colgaduras de raso y colchón triple?

–Eso decían algunos. –Ella se tocaba el pelo en lo oscuro–. Además, todo el tiempo estamos como esperando que alguien venga, ¿no te pasa a ti?

–Y a lo mejor, alguien va a venir –dijo él–. Pero por lo menos ya no tengo miedo y eso es un alivio.

–No tendrás miedo tú, el búfalo bil –se burló ella mirando fieramente en la densidad negro terciopelo que los circundaba–. Lo que es yo, sí tengo.

–Mi amor– se acercó él. Y la abrazó a tientas por la espalda.

–¿Tienes tu carnet? –Ella hablaba con los dientes apretados.

–No tengas miedo, mi amor, quién va a tener carnet ahora –se suavizó él, tomándola tierno por los hombros–. Ya no es tan suave –pensó. Pero no se lo dijo.

–No tengo miedo por eso, estaría bueno que anduviera teniendo miedo por papeleos –dijo ella, poniéndose de brazos cruzados como una mártir–. Quería saber dónde teníamos las cosas, eso era todo.

–El abogado se quedó con los carnets, ¿te acuerdas?, el de la mesa sucia –dijo él–. Se los iba a dar al Mañu.

–¿A Mañu? –casi gritó ella–. ¿Y para qué?

–Bueno –él se aclaró la voz, pero ahí no había eco–. Para que los tenga él no más. Por si acaso.

–Pero es que Mañu es tan desordenado –dijo ella hundiendo la cabeza en la negrura.

Y se apartó levísimamente hacia el rincón.

–Ven –tanteó él con esa voz de náufrago que había tenido siempre antes del amor.

–Pero si no me he ido. ¿Adónde iba a ir? –Ella acercándose y apretándolo contra su vientre como en los tiempos en que se amaban dentro de los ascensores y pasaban mojados en su propia pasión.

–Sí, te habías ido un poco –naufragó él. Y la quiso besar en el cuello, pero a ella le dio vergüenza y dijo:

–No, ahí no. Debe estar horrible.

–No está horrible. Además no se ve nada –susurró él, pastoso, ardiente, acercándola a sí.

–Pero igual –dijo ella. Y agregó, con los ojos levantados–: ¿Y a ti? ¿Te duele mucho ahí? –Y bajó la mano por sus caderas.

–No –dijo él. Pero le apartó la mano. Y después pidió:

–Dame un beso como Dios manda. ¿De dónde sacaste que salía pus?

–No me pidas "dame un beso"–reclamó ella–. ¿No ves que así parece un favor? –Y lo besó largamente en la boca de labios partidos que se entreabrían en pequeños cráteres sedientos. El la empezó a lamer–. Ya, ya –dijo ella–. No tengo sed –descubrió. Pero le dio un poco de pena recordando cómo tomaba con ansia el agua de su boca.

–No hay hueco para nada aquí, pero me gusta,

¿sabes? –Y él la aprisionó un poco contra el suelo medio mojado.

–Oye –dijo ella, tratando de sentarse. Pero le cayó tierra en la cabeza.

–No me derrumbe la suite, señorita –rió él con la mano en su cintura.

–Oye–repitió ella–. ¿No estamos amarrados, ¿no? ¿Podemos soltarnos cuando queramos?

El sonrió en la negrura. Había empezado un frío nocturno de crujidos de plantas y cosas inciertas; todas las cosas que venían antes de la rebeldía.

–Mueve el pie, a ver –dijo.

Ella lo hizo y sintió el tobillo contra tobillo.

–Mierda– dijo.

–Pero si podemos soltarnos cuando queramos. –El le pasó la mano por el pelo y lo notó de nuevo, largo, enredado y alegre, como lo había usado siempre ella.

–Oye –dijo maravillado–. Te creció el pelo de nuevo, mira.

–Cierto. Y ella sacudió la cabeza, apegándose a él, con sus pechos de piedra.

–Aunque podamos soltarnos, no nos soltemos nunca más, por los siglos de los siglos, ¿quieres? –dijo él en voz muy baja, acurrucándola entre sus brazos.

–Bueno –respondió ella emocionada. Y después sonrió. Aunque nadie lo notara en esa tremenda oscuridad.

INDICE

Siete días de la Señora K.   7

Cuentos Afines

Lavaza   113
Flor blanca   125
Pandora   133
Suite   147

DATE DUE

APR 0 1 1998			
APR 1 8 2002			

Demco, Inc. 38-293